MAIGRIR POUR LA VIE:

5 PRINCIPES MENANT À *votre* POIDS IDÉAL

À tous ceux qui croient qu'ils ne réussiront jamais
à atteindre et à maintenir leur poids-santé,
puissent ces pages les convaincre du contraire.

CAROLINE GOSSELIN, Ph. D.

MAIGRIR POUR LA VIE:

5 PRINCIPES MENANT À *votre* POIDS IDÉAL

© Productions G.G.C. ltée
Téléphone: (819) 821-4109

Les Éditions G.G.C. ltée remercient la

Sodec

du soutien accordé à son programme d'édition
dans le cadre de leurs programmes
de subventions globales aux éditeurs.

Dépot légal:
Bibliothèque nationale du Québec, 2001
Bibliothèque nationale du Canada, 2001
ISBN 2-89444-137-1

Remerciements

Je tiens à exprimer ma plus sincère reconnaissance à tous ceux qui ont contribué de près ou de loin à ce livre. J'aimerais remercier en particulier:

Gérald-Guy Caza, l'éditeur dont rêvent tous les auteurs, pour son enthousiasme, son ouverture d'esprit et son professionnalisme, ainsi que toute l'équipe des Productions G.G.C. ;

Josée Lavigueur pour sa très précieuse et agréable collaboration dans la section «exercice» ainsi que son agent Jean-Marc St-Pierre;

Anne Shaw, Lois Fulton, Carole Davis et Myrtle Hogbin, auteurs de l'excellent document: «Using the Food Guide Pyramid: A Resource for Nutrition Educators», du US Department of Agriculture, duquel ont été tirés les menus, recettes et tableaux d'analyse des éléments nutritifs;

Mathieu, Diane D., Marie-Claude R., Diane A., Lise B., Omer B., André D., Isabelle C., Renée D., Yolande et Christian pour avoir accepté de partager avec simplicité et générosité leur histoire avec les lecteurs;

Jennifer MacKinnon, amie et mère de quatre petites filles, pour s'être si gentiment prêtée au rôle de «modèle» dans la section de Josée Lavigueur;

Lyne Martineau, présidente, et Caroline M. Gauthier, vice-présidente de *Minçavi*, pour avoir accepté de soumettre leur programme d'amaigrissement à une étude scientifique et permis d'interroger leurs clients, ainsi que toute leur équipe pour leur enthousiasme et leur collaboration efficace;

Judith Fleurant, vice-présidente chez *Énergie-Cardio*, pour avoir pris le temps de s'entretenir avec moi et donné la chance d'interroger des clients de leur programme d'amaigrissement;

Angelo Tremblay, professeur, chercheur et coureur à l'Université Laval, pour avoir si gentiment accepté de participer à ce livre;

Martine Beaumont, pour avoir spontanément accepté de partager son expérience de diététiste;

Michel Grisé, pour son travail de traduction et de synthèse du texte «*Using the Food Guide Pyramid: a resource for Nutrition Educators*»;

Claude Lacasse, photographe, pour les photographies prises dans le cadre de la section d'exercices;

Laurent Gosselin, pour son soutien informatique et fraternel;

Viviane Gosselin, Mélanie Dupuis et Line Marcoux pour leurs encouragements tant appréciés;

Michel Cabanac, Colin Cabanac, Normand Gosselin, Jacqueline Laguë, Martin Gosselin et Hélène Laurendeau Dt.P., pour leurs encouragements et pour avoir commenté si judicieusement les premières versions du manuscrit;

Elise, Samuel, Louis et Roxane, mes enfants, pour leur présence affectueuse et tous les jolis dessins qui égayent à présent mon coin de travail;

Et finalement, mon mari, Julien Cabanac, pour son oreille attentive, son soutien infaillible et ses précieux commentaires, mais surtout, pour s'être si bien occupé de nos enfants pendant que j'écrivais ce livre.

Avant-propos

Contrairement à ce qui est véhiculé par les médias, LE poids idéal n'existe pas. En effet, il est illusoire de penser qu'une seule silhouette convienne à tous. Il existe cependant un poids qui soit idéal pour vous personnellement. La démarche que je vous propose vise à optimiser votre propre potentiel de perte de poids. En cessant de combattre votre corps et en apprenant à travailler avec lui, vous découvrirez qu'il vous guidera naturellement vers *votre* poids idéal.

Vous avez déjà tout essayé et vous retournez invariablement à votre poids de départ? Vous craignez ne pas avoir assez de volonté? Vous découvrirez grâce à cet ouvrage que maigrir n'est pas tant une question de volonté qu'une question de *stratégie*.

Dans la première partie du livre, vous apprendrez que votre corps est soumis à des lois naturelles qui le poussent à maintenir votre poids actuel. En comprenant comment et pourquoi votre organisme tente de maintenir ce poids, vous réaliserez que la plupart des diètes ne font que déjouer temporairement sa vigilance. Pour maigrir de façon durable, il faudra cesser de vouloir déjouer ces lois naturelles et tenter plutôt de les utiliser à votre avantage. Vous devrez faire en sorte que votre corps «désire», lui aussi, se départir des kilos en trop.

Pour vous guider dans cette démarche, j'ai élaboré 5 principes. Ces principes qui font l'objet de la seconde partie du livre, vous amèneront à modifier certaines habitudes de vie ainsi que vos rapports avec votre corps. Ils vous inviteront aussi à vous engager dans un processus à long terme. En mettant en pratique les stratégies proposées, vous vous donnerez toutes les chances de perdre du poids. Plus important encore, vous développerez votre compétence à maintenir naturellement votre poids-santé, tout comme ces hommes et femmes dont vous pourrez lire les témoignages à la fin de chaque chapitre.

Je vous encourage de tout cœur à explorer cette nouvelle voie et espère sincèrement qu'elle vous aidera à trouver, vous aussi, la santé et le bien-être.

Caroline Gosselin, Ph. D.

Table des matières

PARTIE 1
Les trois lois naturelles qui gouvernent notre poids:

- La *Loi du plaisir*

- La *Loi de la consigne*

- L'*Instinct de conservation*

La loi du plaisir:

le plaisir signe l'utilité d'une fonction

Lorsque nous avons froid, nous éprouvons du plaisir à nous approcher d'une source de chaleur, comme un feu de foyer par exemple. Ce comportement aide notre corps à combattre une baisse de température qui pourrait lui nuire. Il est donc *utile* pour notre corps de rechercher la chaleur lorsqu'il fait froid. Par ailleurs, lorsqu'il fait très chaud, la simple idée d'un feu de foyer nous fait transpirer. Nous n'avons au contraire, qu'une seule envie, celle de plonger dans un bassin d'eau fraîche. Pourquoi? Parce qu'en nous signalant ce qui lui ferait «plaisir», notre corps nous indique ses besoins, dans ce cas-ci, le besoin de se rafraîchir.

Le plaisir est essentiel à notre survie

Le docteur Michel Cabanac, professeur de Physiologie à l'Université Laval, s'intéresse depuis 35 ans au rôle du plaisir dans nos vies. Un de ses ouvrages, *La quête du plaisir*, relate ses ingénieuses recherches et explique que le plaisir ne serait pas qu'une simple émotion éprouvée[1]. En effet, le corps utiliserait le plaisir pour nous guider vers des comportements visant notre survie.

La recherche de nourriture est un des ces comportements. Le docteur Cabanac qui a dirigé mes recherches universitaires, m'a enseigné que tout comme le corps tente de stabiliser sa température à une valeur donnée (37°C), il tente aussi de stabiliser ses réserves de graisse à un niveau donné. La graisse corporelle est en effet très utile car elle agit comme réserve d'énergie pour l'organisme. Comme se nourrir est essentiel pour maintenir des réserves de graisse, la nature s'est organisée pour rendre l'expérience agréable. Ainsi, manger procure du plaisir. Si nous n'éprouvions aucun plaisir à manger, nous oublierions de le faire et nous mourrions de faim.

Le plaisir guide nos choix alimentaires

Notre organisme est non seulement programmé pour rechercher la nourriture, il recherche aussi certains aliments en particulier. De la même façon qu'il est utile pour la grenouille de rechercher des insectes et pour la vache de l'herbe, il est utile pour l'humain de rechercher des aliments qui conviennent aux besoins de son organisme. Quels sont ces aliments?

Pour y répondre, j'ai pensé vous faire faire un petit exercice que je propose parfois à mon auditoire lors de conférences. Il s'agit de donner une note, de 1 à 3, pour chacun des aliments se trouvant dans la liste ci-dessous. Une note de **1** signifie qu'en général vous éprouvez *peu de plaisir* à manger cet aliment, **2** signifie que vous éprouvez *un plaisir modéré* à manger cet aliment, et **3**, que vous éprouvez *beaucoup de plaisir* à en manger.

Oubliez diètes, calories et recommandations. Il est important de vous laisser guider par vos sens en faisant l'exercice suivant, et ne pas vous laisser influencer par vos connaissances sur la nutrition ou la santé.

Exercice «Quelles sont vos préférences?

Notez de 1 à 3 les aliments suivants:

1. du spaghetti avec de la sauce à la viande
2. une pomme
3. un hamburger
4. une tranche de pain
5. de la crème glacée
6. une salade

4

7. des frites
8. un verre de jus
9. un morceau de gâteau
10. du poisson
11. un verre d'eau
12. du chocolat

Lors de cet exercice, les aliments qui sont le plus souvent cotés «3», sont le hamburger, la crème glacée, les frites, le gâteau et le chocolat. Pourquoi? Pourquoi ces aliments nous apportent-ils plus de plaisir que les autres?

Parce que ces aliments ont en commun leur forte teneur en gras et/ou en sucre. Le gras et le sucre rendent la nourriture savoureuse. Une saveur agréable procure du plaisir. Et si vous vous souvenez de mon explication précédente, vous vous rappellerez qu'en biologie, plaisir est synonyme d'utilité. Pourquoi éprouvons-nous du plaisir à manger du gras et du sucre?

Tout simplement parce qu'il est *utile* de manger du gras et du sucre.

Nous avons été *génétiquement programmés* pour rechercher ces aliments. En effet, ils font secréter par notre cerveau de véritables molécules de plaisir (les opiacées endogènes) qui rendent l'expérience particulièrement agréable. Il en résulte que ces aliments deviennent hautement attirants[2].

Et pourquoi donc serait-il utile de manger du gras?

Pour deux raisons.

La première concerne l'*économie d'énergie*. Dans un contexte naturel où la nourriture est restreinte (contexte dans lequel la race humaine a évolué pendant près d'un million d'années) il est profitable pour l'organisme de rechercher des formes concentrées d'énergie. Ainsi l'individu ne perdra pas ses précieuses énergies à chercher et à consommer des aliments sans grande valeur nutritive. La nature est ainsi faite qu'un gramme de gras contient 9 calories, tandis qu'un gramme de protéine ou de glucide (sucre) en contient seulement 4. D'un point de vue énergétique, il est donc plus «payant» pour l'organisme de manger du gras que d'autres aliments.

La deuxième raison qui explique notre penchant pour les aliments sucrés est qu'ils sont *rapidement assimilés*. Contrairement à l'énergie contenue dans les protéines et les gras, l'énergie contenue dans les aliments sucrés est rapidement assimilable. En effet, le goût sucré d'un aliment signale qu'il contient une forte teneur en glucides simples. On trouve ces glucides, par exemple, dans le sucre de table ou le miel. Il s'agit de la forme d'énergie la plus rapidement mise en circulation. Ces sucres sont presque instantanément absorbés par l'organisme et mis à la disposition de nos muscles et de notre système nerveux. Une disponibilité rapide de l'énergie peut être importante chez l'humain dans des cas où l'organisme fait face à une activité physique intense et soudaine, comme lorsqu'il fuit, se bat ou chasse. Notre goût ancestral pour les aliments gras et sucrés n'est donc pas une faiblesse de caractère. Cette quête du plaisir révèle un puissant mécanisme de survie.

Nous venons de voir que le corps sait quels aliments choisir pour maximiser son rendement énergétique. Nous verrons à présent comment il s'y prend pour contrôler la quantité d'aliments qu'il consomme.

Le plaisir et la satiété

Le mécanisme biologique par lequel vous savez que vous avez assez mangé est celui de la *satiété*. Lorsque vous mangez, vos yeux, votre nez, votre bouche, votre estomac et votre intestin participent au développement de la satiété[3]. Lorsque vous n'éprouvez plus de plaisir à manger au cours d'un repas, cela signifie habituellement que vous n'avez plus faim. La satiété est un signal de votre corps vous indiquant que ses besoins sont comblés. Comme vous le verrez plus loin, reconnaître et respecter les signes de satiété sont des élément-clés dans le maintien d'un poids-santé. Ils vous permettent de manger la quantité exacte de nourriture dont votre corps a besoin.

En conclusion, la recherche du plaisir explique notre penchant naturel pour les aliments riches en gras et en sucre. Depuis l'aube des temps les

6

humains sont systématiquement attirés par ces aliments. Cette incontournable *Loi du plaisir* a été conçue pour nous permettre de survivre.

Dans le but de maigrir, bien des gens nient ou ignorent systématiquement leur envie de manger des aliments gras ou sucrés. Cependant, la *Loi du plaisir* ne peut être ignorée longtemps. Face à une privation d'aliments agréables au goût, le corps se «révolte». La personne devient alors obsédée par ces aliments et des épisodes de compulsion alimentaire peuvent survenir.

Pour réussir à perdre du poids, il faut cesser de nier ce besoin physiologique et au contraire, y répondre. Comment?

En mangeant du gras et du sucre, tout simplement! La clé réside, bien entendu, dans la quantité consommée. L'idée est que votre alimentation contienne assez de gras et de sucre pour que vous en retiriez du plaisir et que vous combliez ce besoin profond, mais pas assez pour que cela ne compromette votre perte de poids.

Vous verrez dans la deuxième partie du livre comment une alimentation saine et équilibrée peut permettre d'allier plaisir et perte de poids. D'ici là, il reste à voir les deux autres lois naturelles qui gouvernent notre poids.

La loi de la consigne:

notre corps cherche à maintenir le poids
pour lequel il est programmé

Retournez-vous inévitablement à votre poids de départ après chaque diète? Avez-vous parfois l'impression que vous êtes «programmé» pour rester à ce poids?

Si c'est le cas, sachez que vos doutes sont bel et bien fondés! En effet, vous apprendrez dans ce chapitre que notre corps est littéralement programmé pour maintenir un poids donné. Il répond à la *Loi de la consigne*, la deuxième loi naturelle qui gouverne notre poids. Cette loi dicte à notre corps le poids que nous devons maintenir et comment réagir lorsque nous perdons du poids. Mais ne vous découragez pas! Cela ne veut pas dire qu'il est impossible de maigrir. Vous verrez plus loin au contraire, qu'il est possible de tourner cette situation à votre avantage.

La consigne est comme un thermostat

Notre corps cherche continuellement à stabiliser son poids à l'intérieur de certaines limites qui lui sont propres. La raison pour laquelle il est si important pour le corps de conserver un poids stable est que la graisse corporelle représente une précieuse réserve d'énergie pour lui. Tout comme notre température corporelle est régulée pour demeurer dans une zone avoisinant les 37°C, notre masse corporelle tend aussi à se stabiliser à l'intérieur d'une zone donnée, propre à chacun d'entre nous. C'est notre *poids de consigne*. Dans la littérature on retrouve parfois aussi les termes «consigne pondérale» ou «poids d'équilibre». Ce sont des synonymes.

Pour bien comprendre la notion de consigne, il faut savoir qu'elle fonctionne comme un thermostat. Prenons l'exemple suivant. Si le thermostat de votre salon est réglé pour maintenir une température ambiante de 21°C, il va le faire en dépit des perturbations de température pouvant être créées dans la pièce. Ainsi, si c'est l'hiver et que vous ouvrez une fenêtre, la température de la pièce chutera momentanément. En réaction à cette perturbation, le système de chauffage va s'activer tant que la température ne sera pas revenue à 21°C. Il aura ainsi retrouvé la température désirée, déterminée par la valeur indiquée par le thermostat. Votre corps s'y prend de la même façon pour maintenir un poids stable. Mais au lieu d'un thermostat, il est équipé d'une consigne qui détermine son poids.

Notre poids de consigne ne correspond probablement pas à une masse précise mais plutôt à une zone à l'intérieur de laquelle se situe à quelques kilos près votre poids «normal».

La consigne protège des variations de poids

Vous avez peut-être l'impression que votre corps ne fait que transformer en gras tout ce que vous mangez? Détrompez-vous! Sachez que si votre régulateur de gras ne fonctionnait pas aussi bien, c'est 20 tonnes que vous pèseriez à l'âge de 65 ans! En effet, votre corps brûle une partie des calories contenues dans le surplus de nourriture que vous consommez et vous protège d'un gain de poids trop important.

Le corps lutte aussi contre une trop grande perte de poids. Une étude, devenue un classique de la littérature, montre bien que notre corps fait tout pour retourner à son poids de départ. Il s'agit de travaux américains conduits durant la Deuxième Guerre mondiale par le docteur Ancel Keys[11]. Les sujets d'expérimentation s'étaient prêtés volontairement à une étude portant sur les effets de la privation de nourriture et de la ré-alimentation. Pendant 6 mois, ces jeunes hommes se sont vu offrir une alimentation comportant toutes les vitamines et minéraux nécessaires, mais seulement la moitié des calories habituellement fournies par leur alimentation.

Ils ont rapidement perdu du poids durant les deux premiers mois. Progressivement, leur comportement et leur humeur ont changé. En plus de devenir obsédés par la nourriture, ils sont devenus irritables et dépressifs. Les activités quotidiennes (exercice, hygiène personnelle ou entretien du bâtiment) ont été délaissées, les hommes se plaignant de grande fatigue. Avec le temps, la perte de poids a ralenti. À la fin de cette phase de restriction alimentaire, les volontaires qui ont complété l'étude avaient perdu en moyenne 25% de leur poids initial.

À leur grand soulagement, ils ont ensuite amorcé une phase de ré-alimentation qui s'échelonnait sur trois mois. Durant cette période, les hommes ont progressivement recommencé à manger et ont rapidement repris du poids. Cependant, bien que consommant jusqu'à 4000 calories par jour, les sujets demeuraient insatisfaits et ne toléraient plus que l'on restreigne leur alimentation. Ils auraient aimé manger encore davantage! Leur corps cherchait ainsi à retrouver leurs réserves de gras initiales.

Leur préoccupation constante pour la nourriture est demeurée présente encore longtemps après la fin de l'expérimentation. La majorité d'entre eux consommait en moyenne 5000 calories par jour et disait avoir encore faim même après avoir mangé un repas très copieux. Cet excès quotidien de nourriture ne suffisait pas à assouvir leur besoin profond de s'alimenter. Plusieurs mois ont passé avant que les sujets ne retournent à une relation normale avec la nourriture et ne retrouvent leur personnalité habituelle. Les chercheurs ont alors noté que cela coïncidait avec *le retour à leur poids de départ*.

L'obsession pour la nourriture durant l'amaigrissement n'était pas qu'une simple conséquence de la malnutrition. Le corps de ces hommes leur indiquait clairement qu'ils devaient rechercher de quoi se nourrir. Une baisse des réserves de gras a aussi déclenché chez ces jeunes volontaires des mécanismes d'économie d'énergie. En effet, leur métabolisme s'est mis au ralenti afin de conserver leurs réserves énergétiques le plus longtemps possible. C'est ce qui explique le ralentissement de leur perte de poids après quelques mois. Enfin, la fatigue ressentie, elle non plus, n'était pas qu'une simple conséquence passive de la privation de nourriture. Elle témoignait d'un mécanisme efficace de conservation d'énergie. Le corps de ces individus les forçait ainsi à se reposer et à limiter leur dépense énergétique.

Depuis les travaux de Keys, de nombreuses recherches ont confirmé que le corps livrait une véritable lutte pour maintenir ou recouvrer ses réserves de gras[1,10,12,15]. Le retour au poids de départ étant son objectif ultime, notre corps, par le biais de puissants mécanismes biologiques, s'acharne à combattre tout effort visant à modifier son poids. L'ensemble de ces mécanismes constitue une sorte de «régulateur de gras» qui répond à la *Loi de la consigne*.

Les diètes amaigrissantes; synonymes de famine pour le corps

N'avez-vous pas ressenti vous aussi de la fatigue, de l'irritabilité, de la dépression en essayant de maigrir? N'êtes-vous pas vous aussi devenu obsédé par certains aliments? Vous est-il arrivé de succomber à des envies soudaines de vous gorger de nourriture?

Vous savez maintenant que ce sont des réactions physiologiques normales à la privation de nourriture et non un manque de volonté de votre part. Lorsqu'il n'est pas bien nourri, notre corps sent que ses réserves de gras (d'énergie) sont menacées. Il les protège en faisant tout pour nous faire retourner à notre poids de départ (notre poids de consigne). Cela explique en partie pourquoi il est si difficile de maintenir le poids perdu.

Vous vous demandez sans doute comment faire pour maigrir si votre consigne vous ramène toujours à votre poids de départ?

L'idée sera d'abaisser, dans les limites qui vous seront propres, votre poids de consigne. Votre corps cherchera alors à maintenir un poids moindre et vous n'aurez plus à vous «battre» contre lui pour conserver votre perte de poids.

Cependant, avant de chercher à abaisser votre consigne, il est important d'aborder encore quelques notions.

Nos réserves de gras parlent à notre cerveau

Comme vous le savez maintenant, notre organisme réagit lorsque nous perdons du poids. Son but est de stabiliser notre poids à une valeur donnée (notre poids de consigne). Mais comment notre corps peut-il «savoir » que nous avons maigri?

Lorsque nous maigrissons, des messages hormonaux sont envoyés par nos réserves de graisse et informent le cerveau de cette perte de poids[10]. La leptine[3,13,14] et les glucocorticoïdes[2,6,8] sont deux des hormones impliquées dans le régulateur de gras.

Le cerveau réagit à ces messages hormonaux en sécrétant des substances chimiques qui visent à retourner au poids de départ. Ces substances, tels le NPY (Neuropeptide Y) ont pour effet d'augmenter notre appétit et de stocker des graisses. Conséquemment, nous aurons tendance à reprendre le poids perdu. Ces mécanismes correcteurs seront d'autant plus puissants que la diète sera draconienne. Plus notre organisme sera privé de nourriture, plus ces mécanismes seront renforcés. Le fait de suivre des diètes sévères a donc pour conséquence de nous éloigner du but que nous visons.

Quelle est votre poids de consigne?

Contrairement à l'animal[5], il n'y a pas encore de méthode disponible pour déterminer précisément le poids de consigne d'un individu en particulier. Il est toutefois possible d'estimer approximativement votre poids de consigne. Ainsi, si présentement vous n'essayez pas de maigrir et que votre poids est stable depuis plusieurs mois, voire des années, votre poids actuel est probablement votre poids de consigne. Votre masse est ainsi stabilisée à la valeur pour laquelle votre corps est «programmé». Si au contraire vous faites des efforts pour maigrir, il est possible que votre poids actuel ne corresponde pas à celui de votre consigne. Vous pouvez ainsi être temporairement en dessous, ou encore, au-dessus de votre poids de consigne. Néanmoins, vous pouvez estimer celui-ci en vous référant au poids auquel vous retournez toujours après avoir fait une diète amaigrissante. Peu importe les efforts que vous y avez mis, y a-t-il un poids auquel vous revenez toujours après un certain temps?

Ceci est probablement votre poids de consigne.

Le poids de consigne est propre à chaque individu. Par exemple, il y a probablement dans votre entourage, des gens qui peu importe ce qu'ils mangent restent minces. Ils auront beau manger toutes les frites, pizza et chocolat qui leur tombent sous la main, après avoir pris quelques grammes, ils reviennent invariablement à leur poids de départ. Ces gens ont vraisemblablement une consigne prédisposant à la minceur. Certains ont, au contraire, un poids de consigne naturellement élevé de sorte qu'ils tendent à maintenir un poids plus important[4,9].

Vous verrez néanmoins que, dans une certaine mesure, il vous est possible d'agir sur votre consigne et ainsi de vous rapprocher de votre poids idéal.

Qu'est-ce qui détermine notre poids de consigne?

Cette question sera traitée en détail dans le prochain chapitre. Cependant, on peut déjà dire que notre bagage génétique influence notre poids de consigne. Ainsi, nous naissons tous avec une certaine combinaison de gènes qui nous prédispose à être plutôt minces, plutôt «moyens» ou plutôt gras. Dans notre laboratoire de l'Université Laval, nous avons travaillé avec des rats dont le bagage génétique prédispose à l'obésité[7]. Ces animaux, bien connus des chercheurs, développent une obésité sévère même lorsqu'on leur sert une quantité normale de nourriture. Nous avons démontré que dès leur plus jeune âge, ces rats avaient un poids de consigne plus élevé que les autres petits de la même portée qui n'avaient pas ce gène de l'obésité. Il en serait de même pour l'humain.

Le sexe d'une personne influence aussi son poids de consigne. En effet, les femmes ont généralement un pourcentage de gras plus élevé que les hommes, et ce, même avant la puberté[16]. Outre le bagage génétique et le sexe, d'autres facteurs influencent aussi notre consigne. En effet, des facteurs biologiques et comportementaux (ex. hormones, alimentation, exercice) peuvent élever ou abaisser notre poids de consigne. Pour maigrir efficacement, nous verrons qu'il faudra agir sur certains de ces facteurs.

D'ici là, il ne reste qu'à voir la troisième loi naturelle qui gouverne notre poids. Vous aurez ensuite en main tous les éléments pour entreprendre une démarche d'amaigrissement saine et efficace.

L'instinct de conservation:

pour survivre, le corps a appris à élever sa consigne

La sélection naturelle a depuis toujours favorisé les individus qui démontraient la plus grande capacité d'adaptation. Ainsi ont survécu les individus les plus résistants et les plus polyvalents. Depuis la nuit des temps, les êtres dont les gènes prédisposaient à l'accumulation de réserves d'énergie sous forme de gras ont survécu aux périodes de famine au détriment des autres. Ces individus avaient probablement un poids de consigne plus élevé que les autres, favorisant ainsi l'accumulation de réserves d'énergie sous forme de gras. L'*Instinct de conservation*, la troisième et dernière loi naturelle, peut ainsi se résumer de la façon suivante:

Poids de consigne élevé = accumulation de gras = survie

L'*Instinct de conservation*, soit la tendance naturelle du corps à emmagasiner des réserves de gras, a longtemps présenté un avantage biologique pour la survie de l'individu et de l'espèce. Malheureusement, le corps humain est toujours soumis à cette loi naturelle bien que nous baignions maintenant dans l'abondance.

Des études montrent que divers facteurs éveillent en nous cet *Instinct de conservation*. Ils élèvent notre consigne et nous font maintenir un poids plus élevé.

Voici les principaux facteurs qui élèvent notre poids de consigne et comment ils éveillent en nous l'*Instinct de conservation* :

Le bagage génétique

Les facteurs génétiques jouent un rôle prépondérant dans le développement de l'obésité[9,11,13,26]. En effet, lorsqu'elles consomment une alimentation riche en gras, les personnes dont les parents sont obèses prennent beaucoup plus de poids que celles dont les parents ne font pas d'embonpoint[11]. Le bagage génétique de ces individus favoriserait le maintien d'un poids de consigne anormalement élevé. Cette consigne élevée les forcerait ainsi à maintenir un poids supérieur à la moyenne[10,15,16,19]. Il a été démontré que les patientes anorexiques qui avaient déjà été obèses reprenaient du poids beaucoup plus rapidement que celles qui ne faisaient pas d'embonpoint avant le début de l'anorexie[27].

Comment nos gènes peuvent-ils affecter concrètement notre poids? Nous savons maintenant que certains gènes nous font manger davantage, que d'autres ralentissent notre métabolisme (et donc notre dépense calorique) et que d'autres encore, contrôlent l'endroit où se dépose notre surplus de gras[2,22,28].

La consommation d'aliments riches en gras et en sucre

Lorsqu'une personne consomme une alimentation très riche en gras et en sucre, sa consigne s'élève. Ce faisant, son corps va tout faire pour conserver un poids plus élevé. C'est un peu comme si la personne se mettait à stocker cette énergie au cas il n'y en aurait plus dans un avenir proche.

En effet, les gens en présence de grandes quantités d'aliments appétissants ont tendance à manger davantage, particulièrement des aliments riches en gras ou en sucre. Une des raisons qui explique ce phénomène est que ces aliments comblent peu la faim[1,18]. La personne a ainsi tendance à manger plus qu'elle ne brûle d'énergie ce qui favorise le gain de poids[6,29,30]. Si nous consommons une alimentation riche en gras et en sucre nous aurons donc tendance à accumuler des graisses[4,5].

L'âge

Des travaux montrent que le poids de consigne tend à s'élever progressivement avec l'âge[12]. Ce gain de poids ne serait pas une «erreur» associée au vieillissement, mais plutôt un effort délibéré de notre corps pour accumuler davantage de gras. Ce phénomène peut trouver une explication logique. En vieillissant, l'organisme se déleste de la masse musculaire qui lui est maintenant moins utile et augmente ses réserves de gras en prévision des périodes où il lui sera plus difficile de s'alimenter, comme durant la maladie. L'*Instinct de conservation* qui pousse le corps à stocker des gras présenterait certains avantages. Une bonne réserve de gras permet aux personnes âgées de résister durant ces temps plus difficiles. En effet, les personnes âgées plus «enveloppées» ont généralement une meilleure espérance de vie que celles qui sont très maigres[23].

Un des mécanismes utilisés par le corps pour nous faire prendre du poids en vieillissant, est de ralentir son métabolisme. Il brûle alors moins de calories. En effet, le métabolisme chuterait de 2 à 5% à toutes les décennies à partir de 30 ans. Cela signifie qu'en vieillissant, le corps utilisera moins de calories pour faire les mêmes activités que lorsqu'il était plus jeune.

Le sevrage de la cigarette

Des études récentes ont montré que la nicotine abaissait la consigne[3,7]. Ainsi, les fumeurs ont tendance à être plus maigres que les non-fumeurs. À l'inverse, lorsque les gens cessent complètement de fumer, ils tendent à prendre du poids, en moyenne, 5 kg (12 lb)[17]. Il est probable qu'en cessant de fumer, la consigne s'élève temporairement, ce qui expliquerait ce gain de poids. Certains chercheurs attribuent le gain de poids observé après le sevrage de la cigarette, à la leptine, une hormone dont j'ai parlé un peu plus tôt, et qui est impliquée dans la régulation du poids corporel[14]. Je tiens cependant à préciser que même si l'individu qui cesse de fumer prend du poids, les chances qu'il développe un problème cardiaque sont moindres que lorsqu'il fumait[25].

La sédentarité

Moins on bouge, plus on conserve son énergie, plus on prend du poids. Il s'agit là d'une des manifestations de l'*Instinct de conservation*.

Diverses recherches suggèrent en effet, que le simple fait d'être inactif physiquement pourrait élever le poids de consigne[20,24]. Des chercheurs du Minnesota ont étudié plus de 1000 hommes et femmes, et ont démontré que les individus sédentaires mangeaient davantage et maintenaient un poids plus élevé que ceux faisant de l'exercice.

La privation de nourriture

La privation volontaire de nourriture (ex. diète très faible en calories) ou involontaire (famine), favorise le regain de poids. Des travaux montrent que les individus qui restreignent leur consommation de nourriture ont un métabolisme moins élevé que les individus de même poids qui n'ont jamais suivi de régime amaigrissant[31]. Leur organisme brûle donc moins de calories. Conséquemment, ces personnes auront tendance à reprendre le poids perdu.

Ce phénomène peut s'expliquer par une élévation de la consigne. En effet, les cycles de perte et regain de poids (yo-yo) sont accompagnés d'une plus grande attirance pour les aliments à forte teneur en gras et en sucre[6,8,21]. Or, comme nous l'avons vu plus tôt, ces facteurs élèvent le poids de consigne et nous font prendre du poids. En augmentant ses réserves de graisse, le corps ayant été privé de nourriture se protégerait ainsi contre d'éventuelles périodes de famine.

En conclusion, notre corps a développé son *Instinct de conservation* il y a des millions d'années, à une époque où les sources de nourriture étaient souvent limitées. Cette loi naturelle le stimule à emmagasiner l'énergie (les graisses) en prévision des temps plus durs. Le problème dans notre société, c'est que les sources de nourriture sont *illimitées*. L'avantage métabolique qui jadis a sauvé la vie de nos lointains ancêtres devient, avec l'abondance et la variété d'aliments riches, un handicap.

En bref, vous avez pu constater que certains facteurs éveillent notre *Instinct de conservation*. L'hérédité et le vieillissement font partie de ces facteurs qui élèvent notre consigne et nous font prendre du poids. Cependant, nous ne pouvons exercer de contrôle sur ces aspects de notre biologie. Par chance, il existe des facteurs sur lesquels il nous est possible d'agir et qui ont pour effet d'abaisser la consigne. Nous les verrons en détail dans la prochaine partie.

Vous connaissez maintenant les trois lois naturelles qui régissant le poids corporel soit: la *Loi du plaisir* (plaisir = utilité), la *Loi de la consigne* (thermostat de gras) et l'*Instinct de conservation* (accumulation de gras pour la survie). La prochaine partie du livre expliquera les 5 principes qui vous aideront à perdre du poids en accord avec ces trois lois. Ces principes seront les guides vous permettant de prendre les décisions les plus judicieuses, celles qui vous aideront non plus à combattre votre régulateur de gras, mais à travailler en accord avec lui. De tels principes vous aideront à créer les conditions idéales pour maigrir.

PARTIE 2
5 principes pour maigrir en accord avec les lois naturelles:

- 1. Endossez le changement

- 2. Déterminez un objectif réalisable

- 3. Abaissez votre consigne

- 4. Apprenez à reconnaître vos signaux intérieurs et à les respecter

- 5. Honorez votre engagement

Endossez le changement

Premier principe

Vous savez à présent comment notre corps s'y prend pour maintenir un poids donné — à l'aide de la consigne —. Vous savez aussi qu'il existe des circonstances ou des habitudes qui éveillent notre *Instinct de conservation*. Ces facteurs (ex. privation de nourriture, alimentation riche en gras et en sucre, sédentarité), poussent notre organisme à accumuler des graisses et à maintenir un poids plus élevé.

Cependant, le fait que notre corps «décide» du poids qu'il va maintenir ne veut pas dire que nous ne pouvons rien faire pour améliorer la situation. Une des erreurs les plus courantes rencontrées chez les personnes qui tentent de maigrir, est de vouloir y parvenir sans changer leurs habitudes de vie. Elles veulent bien suivre une diète pendant quelques semaines, voire quelques mois, mais espèrent éventuellement retourner à leurs anciennes habitudes tout en maintenant leur perte de poids. Il faut garder en tête cependant, qu'une solution temporaire ne peut pas donner de résultats permanents.

La plupart des diètes ne font que modifier temporairement vos habitudes alimentaires. Ces régimes vous permettent ainsi de déjouer pendant quelque temps les trois lois naturelles (la *Loi du plaisir*, la *Loi de la consigne* et l'*Instinct de conservation*). Mais tôt ou tard, ces dernières reprennent le dessus et le poids recommence à s'accumuler.

Cette attitude, cette déresponsabilisation à l'égard du changement, est malheureusement souvent entretenue par des publicités annonçant des produits amaigrissants miracles. Ces publicités laissent sous-entendre que la solution vient de l'extérieur —la diète— quand en réalité, la solution vient de l'*intérieur*. Elle est en vous. Vous seul avez la responsabilité et le pouvoir de changer la situation. Pour réussir, il sera nécessaire d'envisager une solution à long terme. Une solution qui, au lieu d'enfreindre les trois lois naturelles, les utilise à votre avantage.

Votre corps aime conserver un poids stable? Qu'à cela ne tienne! Aidez-le à conserver un poids *inférieur*. Pour ce faire, il vous faudra changer les habitudes qui ont contribué à votre gain de poids. En effet, que vous tentiez l'expérience par vous-même ou dans le cadre d'un programme, aucune démarche de perte de poids ne pourra être fructueuse à long terme si elle ne repose pas sur certains changements permanents dans votre vie.

Ce premier principe est la fondation sur laquelle reposent les quatre prochains. Il vous invite à prendre la responsabilité de votre comportement et à entreprendre des changements dans vos habitudes. J'aurais aussi pu nommer ce principe; *soyez proactif*. La proactivité, un terme employé fréquemment dans le domaine de la gestion, consiste à prendre la responsabilité et l'initiative de se consacrer aux choses que nous pouvons influencer. Pour appliquer les principes que je vous propose, il faut d'abord prendre l'initiative d'enclencher des changements permanents qui bénéficieront à votre santé.

Une attitude proactive implique davantage que le simple fait de prendre des initiatives. Être proactif, c'est d'abord et avant tout s'approprier la *liberté de choisir*. Cela veut dire qu'en tant qu'être humain, nous choisissons de devenir responsable de notre propre vie. Cette attitude conditionne toute l'approche de la personne qui veut entreprendre de façon efficace des changements. Elle implique que vous seul déteniez la solution, la clé de ces changements.

Comme l'explique Stephen Covey, ancien professeur à Harvard et auteur de plusieurs best-sellers dans le domaine de la gestion et du comportement, la démarche proactive consiste d'abord à changer *de l'intérieur*[1]. Chaque fois que vous pensez que vous n'avez pas de contrôle sur la situation ou que le problème vient des autres ou de l'extérieur, c'est cette pensée même qui constitue le problème. Vous donnez alors le contrôle de la situation à quelque chose ou à quelqu'un d'autre que vous. Conséquemment, vous espérez que la solution provienne de l'extérieur. Dans le cas de l'amaigrissement, comme vous venez de voir, ces solutions extérieures peuvent se présenter sous la forme d'une diète miracle ou d'un médicament amaigrissant.

Exercez votre liberté de choisir

Selon Covey, la liberté de choisir est propre à l'être humain et lui permet d'évoluer. Le premier principe de cet ouvrage, en vous invitant à endosser le changement, vous force à réfléchir sur la place que vous accordez à votre liberté de choisir. Une personne ne peut changer son comportement, que si elle exerce d'abord cette liberté.

Comportement animal et certains comportements humains:

STIMULUS ➤ RÉPONSE

Comportement propre à l'être humain:

STIMULUS ➤ LIBERTÉ DE CHOISIR ➤ *RÉPONSE*

Revoyons ce tableau à la lumière d'un exemple concret. Prenons le cas de quelqu'un qui fait de l'embonpoint. Lorsque cette personne a faim (stimulus), elle a l'habitude de manger un repas riche en gras (réponse). Tant et aussi longtemps qu'elle agira de cette façon, cette personne maintiendra le même résultat (l'embonpoint). Il peut s'agir d'un comportement acquis depuis l'enfance. Cependant, le fait qu'elle agisse de la même façon depuis des années ne l'empêche pas, si elle le désire, de changer cette réponse. Ainsi, si elle n'est pas satisfaite du résultat (elle n'arrive pas à maintenir un poids-santé) elle doit reconsidérer *sa réponse*, c'est-à-dire, son comportement. Si tel est son choix, cette personne peut alors décider de préparer un repas contenant plus de légumes, du pain de blé entier et une viande plus maigre, par exemple.

Même si nous n'en sommes pas toujours conscients, nos comportements sont le résultat de décisions que nous prenons. Il nous est donc possible de décider de maintenir le même comportement (ex. diète miracle, sédentarité) et de récolter les mêmes résultats (embonpoint) ou à l'inverse, nous pouvons décider d'innover en choisissant une nouvelle réponse (ex. alimentation saine). Nous récolterons ainsi de nouveaux résultats (poids-santé).

En tant qu'être humain, nous avons le pouvoir d'agir consciemment sur notre vie afin de nous rapprocher de nos idéaux. Mais pour effectuer des changements, il faut d'abord *choisir* de le faire.

L'engagement, pierre angulaire de l'amaigrissement

Qu'est-ce qui fait que certaines personnes connaissent du succès dans leur vie familiale, leur travail ou dans une discipline quelconque? Qu'ont en commun ces individus qui atteignent leurs buts? Ce qui caractérise fondamentalement ces personnes, à mon avis, ce n'est pas uniquement le talent ou même leur travail soutenu. Je crois que c'est d'abord et avant tout leur *engagement*.

S'engager, c'est faire une promesse et faire en sorte de la tenir. En d'autres mots, c'est faire concorder ses paroles et ses actes. S'engager, c'est aussi s'investir dans un projet à long terme. Ceux qui réussissent à atteindre des objectifs importants et à évoluer, ne craignent pas de s'engager. Ils ont la conviction d'avoir en eux toutes les ressources nécessaires pour faire face aux difficultés qui se présenteront sur leur parcours. L'engagement est la pierre angulaire de toute démarche ayant une visée à long terme, que ce soit le mariage, l'éducation de ses enfants ou le développement d'une carrière. De tels projets de vie ne peuvent être menés avec succès sans l'engagement de la ou des personnes concernées. Maigrir pour le reste de votre vie n'échappe pas à ce raisonnement.

Le Dr Albert Stunkard, un chercheur réputé dans le domaine de l'obésité a découvert que les sujets participant à un programme d'amaigrissement combinant un médicament coupe-faim et une thérapie comportementale ont éprouvé plus de difficultés à maintenir le poids perdu que les individus qui n'avaient eu recours qu'à la thérapie comportementale[3]. Pourquoi? L'utilisation du médicament avait possiblement «déresponsabilisé» le patient vis-à-vis de son traitement. Du coup, ils étaient moins motivés à intégrer des changements permanents dans leur alimentation, moins motivés à s'engager. D'autres recherches confirment cette hypothèse en indiquant que les personnes les plus susceptibles de maintenir leur perte de poids sont celles qui croient que leur obésité est davantage causée par des facteurs psychologiques sur lesquels *elles pouvaient agir* que par des facteurs médicaux hors de leur contrôle[2]. Ces personnes sont aussi moins portées à débuter un programme d'amaigrissement en réaction à des pressions extérieures.

Selon certaines théories en psychologie, il existerait deux types de motivations[4]. La première, serait une motivation que l'on pourrait qualifier d'«externe». Les gens animés d'une motivation de ce type ont tendance à agir en fonction de facteurs extérieurs à eux (ex. attentes de la famille, perspective de récompense ou de punition). Ils ont souvent tendance à agir en réponse à la pression ou à l'anxiété.

À l'opposé, les gens qui sont poussés à entreprendre une action parce qu'ils la trouvent intéressante ou importante pour eux sont animés d'une motivation «interne». Ils agiraient de leur propre gré, selon leurs valeurs et leurs choix personnels. Or, il a été démontré que les gens animés d'une motivation «interne» ont plus de facilité à maigrir ou à cesser de fumer[4].

Endosser le changement, une étape nécessaire

Que les auteurs parlent de proactivité ou de motivation «interne», on comprend que le processus de changement de comportement passe par une introspection puis un engagement de la personne. Bien des gens qui n'arrivent pas à maigrir essuient des échecs répétitifs parce qu'ils pensent pouvoir réussir sans passer par cette étape.

Au cours de la préparation de ce livre, j'ai discuté longuement avec des personnes qui ont réussi à perdre du poids et à maintenir cette perte de poids. Les raisons qui les avaient motivées à maigrir étaient variées. Certaines voulaient mieux paraître, d'autres se sentir mieux dans leur peau, d'autres encore désiraient améliorer leur santé. Cependant, peu importe leurs motivations initiales, tous ces individus avaient en commun un point fondamental; ils avaient pris la responsabilité de changer leurs comportements. Ils avaient franchi cette étape et *endossé le changement*.

Perdre du poids était une priorité pour eux, et ils ont réorganisé leur vie en fonction de cette priorité. La plupart m'ont confié avoir essayé de maigrir de nombreuses fois avant d'entreprendre leur programme final. Ils avaient toujours cherché à y parvenir par une méthode donnant des résultats ultra-rapides ou ne demandant pas de changements à long terme de leur alimentation. Mais cette fois avait été différente. Ils étaient arrivés à un tournant de leur vie qui avait modifié leur approche vis-à-vis de la perte de poids.

Pour certains, ce «déclic» est survenu lors d'un événement, comme le diagnostic d'un problème de santé lié à l'obésité ou à la suite d'une situation particulièrement embarrassante causée par leur poids. Pour d'autres, le déclic s'est fait en réponse à l'accumulation graduelle de frustration et de déceptions en regard de leur apparence physique. C'est un peu comme si après des années, ils avaient vu pour la première fois plus d'inconvénients que d'avantages à conserver leur ancienne façon d'agir. La balance s'était tout à coup mise à pencher en faveur du changement de comportement.

Les cheminements des personnes que j'ai interrogées comportent tous un tel changement d'attitude. Avant, ils espéraient maigrir en suivant une diète, mais non en changeant leurs comportements à long terme. Après leur fameux déclic, ces individus ont compris qu'ils devaient prendre part activement au changement. Ils ne subissaient plus l'amaigrissement. Ils devenaient à présent maîtres de la situation. À partir de ce moment, ces personnes ont endossé la responsabilité de leurs comportements et entrepris les actions nécessaires pour atteindre leurs objectifs.

Le plaisir d'être maître de son comportement

Je vois un lien entre ce premier principe fondamental et la *Loi du plaisir*. Comme vous l'avez vu plus tôt, tout être humain est gouverné par la recherche du plaisir. Par plaisir je n'entends pas que les simples plaisirs sensoriels, mais aussi les autres plaisirs, comme ceux que procurent les relations interpersonnelles satisfaisantes, la stimulation intellectuelle, la spiritualité ou l'accomplissement de soi. Ce qui est agréable, m'expliquait le Dr Cabanac, est habituellement bénéfique pour la personne. Cette quête du plaisir est utile pour sa survie mais aussi son épanouissement. Le plaisir étant le moteur de tous les comportements, s'il n'y a pas de plaisir, il n'y a pas de motivation à entreprendre un nouveau comportement.

Pour que le fait de changer vos habitudes de vie devienne source de plaisir, il est essentiel que cela découle d'un choix que vous assumiez plutôt que d'une réalité que vous subissiez. En effet, il est infiniment plus agréable d'être en contrôle de la situation que de subir les événements. En discutant avec des gens qui ont retrouvé un poids sain, j'ai constaté que ces personnes ne mettaient plus l'emphase sur le poids qu'elles cherchaient à maintenir, mais plutôt sur *l'ensemble des actions qui avaient mené à cet objectif*. C'est par ces actions concrètes et renouvelées qu'elles s'étaient appropriées la réussite. En les écoutant, je réalisais que l'accomplissement de soi n'était pas une destination, mais plutôt un cheminement, et que c'était ce cheminement même qui procurait plaisir et satisfaction.

Chaque étape ou obstacle rencontré durant le processus d'amaigrissement fait appel à vos valeurs et à vos convictions. C'est à travers les choix qui se présenteront à vous et les décisions qui en découleront, que vous renouvellerez votre engagement à l'égard de votre démarche. Perdre du poids ne sera plus une torture à subir, mais plutôt une démarche volontaire, le début d'une aventure vers la santé dont vous serez l'unique responsable. Les personnes que j'ai interrogées pour ce livre m'ont dit ne pas avoir souffert au cours de leur dernier amaigrissement, contrairement à ce qu'elles avaient vécu lors des essais infructueux précédents. Cette nouvelle démarche, bien que parfois exigeante et difficile, avait été vécue positivement. Ces personnes n'attendaient plus la pilule ou le régime miracle pour s'attaquer à leur problème de poids. Pour la première fois, elles avaient *choisi* de changer. Le plaisir associé à cette expérience est alors devenu une source de motivation profonde qui a renforcé le changement positif de comportement.

Il est fréquent que des femmes entreprennent une démarche d'amaigrissement pour faire plaisir à leur conjoint. Si cependant ce conjoint ne leur fait pas assez de remarques positives sur leur apparence ou s'il les quitte, il arrive très souvent que leur motivation s'écroule et qu'elles reprennent le poids perdu. Pourquoi? Parce que la force motrice de ces personnes était *extérieure* à elles-mêmes. Lorsque cette force externe a fait défaut, tout s'est effondré.

À la fin de chaque entretien, j'ai demandé aux gens de formuler un conseil qu'ils aimeraient donner à quelqu'un qui désire, tout comme eux, perdre du poids. Presque tous m'ont répondu en leurs mots:«Il faut entreprendre une démarche d'amaigrissement uniquement pour soi et non pour quelqu'un d'autre». En recueillant leurs propos, j'ai constaté que le moteur de ces individus était devenu intégré à leur personne et qu'il ne résidait plus en les attentes des autres. Cette attitude leur conférait une force intérieure dans laquelle ils pouvaient puiser l'énergie pour persévérer.

Osez changer

Changer demande du courage. Je ne l'ai vu dans aucun texte scientifique mais je l'ai constaté en écoutant des individus qui ont bravé les difficultés pour en arriver à opter pour de nouvelles solutions leur offrant des perspectives plus heureuses. Changer, c'est quitter une situation à la fois moins agréable mais connue et sécurisante, et opter pour une situation plus prometteuse mais entourée d'inconnu.

Les individus proactifs ne sont pas épargnés par les frustrations, les déceptions, les tentations et autres difficultés. La différence entre ces individus et les autres réside en leur capacité à se recentrer sur leurs valeurs et leurs objectifs lorsque des difficultés surviennent. Les gens qui ont *endossé les changements* dans leur vie se dirigent en fonction de valeurs auxquelles ils ont réfléchi, qu'ils ont choisies et qui font maintenant partie de leur système de valeurs personnelles.

Prenez le temps vous aussi d'identifier ces valeurs qui vous animent. Quels sont les fondements sur lesquels repose votre vie? Vos actions? Quelles sont vos motivations profondes? Si vous éprouvez de la difficulté à les identifier, existe-t-il dans votre entourage quelqu'un que vous admirez pour ses qualités?

À votre avis, quelles sont les valeurs qui motivent cette personne. Croyez-vous les véhiculer? Sinon, souhaitez-vous le faire?

Mieux vous connaîtrez vos valeurs et convictions plus il vous sera facile de les respecter.

Vous connaître est important, mais d'autres facteurs pourront aussi faciliter le respect de votre démarche, notamment, le soutien de votre entourage. Modifier vos habitudes de vie sera plus facile si les circonstances sont propices au changement et si vos proches vous encouragent et vous offrent leur soutien pour les étapes à venir. Dans la mesure où vous savez que vos initiatives seront bien reçues, il peut être bénéfique d'impliquer des membres de votre famille ou des amis dans votre démarche. Cependant si votre environnement offre peu de soutien ou décourage vos efforts, il demeurera néanmoins possible de changer, si tel est votre désir. Mais pour réussir, il ne faudra alors compter que sur vous-même et sur vos ressources personnelles.

J'ai eu la chance de m'entretenir avec diverses personnes qui ont réussi à atteindre et à maintenir leur poids idéal. Elles ont eu la gentillesse et la générosité de m'expliquer ce qu'elles ont vécu. Leurs témoignages, que j'ai inclus dans cet ouvrage, reflètent les étapes qu'elles ont dû franchir pour atteindre leurs objectifs respectifs. Pour réussir, chacune de ces personnes a mis en pratique *l'ensemble des principes* présentés dans cet ouvrage. Cependant j'ai préféré associer chaque témoignage au principe qui l'illustrait le mieux. Pour chaque principe présenté correspond ainsi un ou deux témoignages. J'espère qu'ils sauront vous convaincre que, vous aussi, pouvez y arriver.

Endossez le changement; deux témoignages

Les témoignages qui suivent sont des exemples concrets de ce premier principe. Ces personnes m'ont toutes deux impressionnée par leur détermination et la façon dont elles se sont engagées dans le changement. Remarquez les initiatives dont elles ont fait preuve pour adopter de nouvelles habitudes de vie plus saines et les efforts particuliers que ces personnes ont déployés pour prendre en main le contrôle de leur vie.

Mathieu, 17 ans

L'année dernière, quand j'ai décidé de changer mon alimentation, je mesurais 5 pi 2 po (1,57 m) et je pesais alors 210 lb (96,8 kg). Comme je n'avais pas de pèse-personne à la maison, je n'avais pas réalisé à quel point j'avais pris du poids depuis les dernières années. J'étais toutefois conscient de mon embonpoint, et détestais mon apparence. J'avais tellement honte de mon corps, que depuis l'âge de 9 ans, je ne voulais plus me baigner en présence d'autres personnes.

J'ai décidé de passer à l'action le jour où en enfilant mon pantalon, j'ai réalisé que je ne pouvais plus le boutonner. J'étais démoralisé, je savais que je devais maintenant passer à la taille supérieure, soit du 40 po (100 cm). Jamais je n'aurais cru devoir porter du 40, encore moins à l'âge de 15 ans! Ayant déjà fait quelques efforts infructueux pour perdre du poids, j'ai décidé cette fois de participer à un programme d'amaigrissement recommandé par une amie. Ce programme était basé sur le Guide alimentaire canadien, et avait été ajusté à mes besoins nutritifs d'adolescent en croissance. J'étais motivé à suivre les recommandations et savais que pour perdre du poids, je devais apprendre à consommer toutes les portions suggérées pour chaque groupe d'aliments. Comme j'habite seul avec mon père et mon frère plus jeune, j'ai dû organiser moi-même mes repas. Je me suis appliqué à suivre les recettes recommandées, et j'ai appris à en créer de nouvelles toutes aussi saines. Étudiant au secondaire et travaillant à temps partiel de surcroît, j'ai dû apprendre à planifier mes repas et à faire mes achats en conséquence.

La première semaine a été la plus difficile. Je n'étais pas habitué à calculer ce que je mangeais. Je mangeais plutôt bien, mais en trop grande quantité, particulièrement au souper. J'ai aussi dû m'efforcer de prendre un déjeuner tous les matins, chose que je ne faisais presque jamais. Après quelques semaines, j'ai appris à mieux reconnaître les signes de satiété, et j'ai réalisé que j'étais parfaitement rassasié par ma nouvelle alimentation. Il m'arrive même d'avoir de la difficulté à manger toutes les portions qui me sont recommandées. Mon poids s'est finalement stabilisé à 140 lb (63,6 kg) et mon tour de taille est maintenant de 30 po (75 cm).

Étant très sociable, le soutien du groupe a été primordial pour moi. J'ai tellement apprécié la complicité qui s'est développée avec les autres membres de mon groupe, qu'il m'arrive même d'en appeler certains pour prendre de leurs nouvelles. Paradoxalement, ce que j'appréciais aussi de ce programme alimentaire, c'était de passer «incognito». Je n'avais pas envie que les jeunes de mon entourage sachent que j'essayais de maigrir. Je ne voulais pas me faire poser des questions sur ma diète ou devoir refuser un repas avec des amis parce que je suivais un régime spécial. Cette alimentation m'a donné la flexibilité dont j'avais besoin pour mener une vie normale d'adolescent. Elle m'a aussi permis de changer certaines des habitudes qui m'avaient fait prendre du poids.

Une autre chose qui a changé depuis que j'ai commencé à mieux manger, c'est mon caractère. Dès le début de mon processus d'amaigrissement, j'ai commencé à m'affirmer davantage. Fini de subir les événements et les situations désagréables sans dire un mot. J'ai repris contrôle de ma vie en prenant contrôle de mon alimentation. Mon plus grand gain dans cette aventure a été d'apprendre à terminer ce que j'avais commencé. Avant, je lâchais dès que cela devenait difficile. J'ai ainsi lâché la natation, les scouts, les cadets. Maintenant, je suis fier de persévérer dans tout ce que j'entreprends. Que ce soit de terminer mes études, de créer et d'entretenir un aménagement paysager à la maison, ou encore de maintenir de saines habitudes alimentaires.

Diane D., 47 ans

Quand mon médecin m'a dit que je ne pourrais bientôt plus marcher si je ne perdais pas de poids, j'ai compris qu'il fallait agir. À 306 lb (141 kg), j'avais de plus en plus de difficulté à me déplacer. Depuis les 7 dernières années, je m'étais résignée à utiliser un fauteuil roulant fabriqué sur mesure pour mes sorties extérieures. Souffrant d'un diabète non insulino-dépendant et de haute pression, mon médecin m'a alors recommandé de suivre un programme d'amaigrissement basé sur les recommandations du Guide alimentaire canadien.

Mes problèmes de poids remontaient à mon enfance. J'avais toujours été rondelette et mon poids a augmenté au fil des années. Si bien que je n'ai jamais pesé moins de 220 lb (101,4 kg) à l'âge adulte. Mon alimentation comportait alors peu de légumes et de fruits. Le seul légume que je mangeais en grande quantité, était la pomme de terre, sous forme de frites. Tous les jours, je me servais au moins une grosse portion de frites et mangeais des chips et autres grignotines. Plusieurs fois par semaine, après des déceptions ou même des événements heureux, comme une fête, il m'arrivait de céder à des épisodes de compulsion alimentaire où je mangeais alors de grandes quantités de frites, de chips et de pain. Depuis mon adolescence, j'avais essayé diverses diètes, mais sans succès. Jusqu'au jour ou deux événements rapprochés m'ont motivée à changer radicalement mon alimentation. Tout d'abord à l'automne 1998, j'ai réalisé que je ne pourrais jamais aller visiter mon fils alors pensionnaire dans une école secondaire. En effet, quelques jours auparavant j'avais réalisé que les lieux n'étaient pas adaptés pour les fauteuils roulants, encore moins pour un fauteuil de la dimension du mien. Visiter la chambre de mon fils, sa classe, les lieux où il vivait tous les jours, m'aurait permis d'être plus près de lui. De ne pouvoir visualiser son milieu de vie m'attristait profondément.

La même année, lors d'un voyage aux Chutes Niagara pour souligner notre anniversaire de mariage, je me suis trouvée encore une fois douloureusement confrontée à mon problème d'obésité. Voulant prendre l'ascenseur sur le site, j'ai réalisé que seuls mon mari, l'accompagnatrice et moi-même pouvions entrer dans l'habitacle. Mes deux enfants ont alors été obligés de prendre un autre ascenseur. J'étais inquiète et aurais préféré que notre famille demeure unie tout au long de notre visite. À mon retour à la maison, j'ai pris la décision de changer mon alimentation. Deux aspects m'avaient d'abord attirée vers ce programme inspiré du Guide alimentaire canadien. Premièrement, les repas étaient reconnus pour être copieux et rassasiants, et deuxièmement, la possibilité de servir ces mets à tous les membres de ma famille.

Mes débuts n'ont toutefois pas été faciles, et ont véritablement testé ma force de caractère! Je me souviens en effet de l'humiliation que j'ai dû surmonter pour pouvoir assister aux premières séances du programme. En effet, après avoir quitté le véhicule spécialisé qui me conduisait à l'hôtel où avaient lieu les réunions, je devais demander les clés pour avoir accès à un ascenseur destiné aux cuisines de cet hôtel. Je devais ensuite passer avec mon large fauteuil roulant à travers la cuisine où s'affairaient les employés. Le souvenir de ces moments douloureux est encore vif à mon esprit. Le soutien du groupe m'a cependant motivée à rester, et je me suis mise à perdre du poids. Quelques semaines ont cependant été nécessaires pour m'ajuster à ma nouvelle alimentation. J'ai dû, entre autres, apprendre à inclure davantage de légumes, de fruits, de produits laitiers et de légumineuses dans mon alimentation. Le seul aliment que je me suis interdit, sont les frites. Pour le reste, je mangeais de tout, et inscrivais tout ce que je mangeais sur des feuilles prévues à

*cet effet. Ainsi, je m'assurais de consommer toutes les portions né-
cessaires dans chaque groupe alimentaire. Avec le temps, je me suis
aussi organisée une stratégie pour contrer les épisodes de fringales
incontrôlables. Mon congélateur contient en tout temps des repas-
maison déjà prêts. De cette façon, s'il m'arrive de rentrer à la
maison un peu tard et que j'ai une faim de loup, au lieu de me tourner
vers des aliments riches en gras ou en sucre, je me réchauffe une
portion de ce repas sain et équilibré.*

*Toujours à cette époque, j'ai décidé de marcher quotidiennement
avec l'aide de mon mari. Au début, je ne faisais que me rendre à la
maison d'à côté, ce qui faisait une marche de vingt minutes aller-
retour. Puis, petit à petit, j'ai ajouté une maison, puis une autre.
Arrivée à la côte près de chez moi, mon mari m'aidait à monter en me
tirant. Le soutien de mon conjoint a été d'une valeur inestimable tout
au long de ces mois. Graduellement, je me suis mise à gravir cette
côte seule, à la stupéfaction de mes voisins. Mes promenades se sont
aussi allongées. Et avec le temps, je suis devenue une passionnée de
la marche. Qu'il pleuve, qu'il neige ou que le soleil brille, chaque jour
est une bonne occasion de marcher pour moi. Je marche maintenant
1 heure tous les jours de la semaine. La fin de semaine, comme mon
mari et moi aimons manger au restaurant, j'ai décidé de marcher
1h30 ces journées-là. En 13 mois, j'ai perdu 148 lb (68,2 kg), pour finalement stabiliser mon poids à 158 lb (72,8 kg). Je maintiens ce
poids depuis maintenant plus de deux ans. Mes problèmes de santé
se sont stabilisés et j'ai beaucoup d'énergie et de vitalité. Mes adolescents et mon mari sont fiers de ce que j'ai accompli. Je suis
maintenant plus disponible pour ceux que j'aime et j'ai aussi beaucoup plus de facilité à m'affirmer.*

_____

Comme vous avez pu le constater dans ces témoignages, changer ses
habitudes de vie demande un effort conscient et important. En prenant une part
active dans l'élaboration de votre programme de perte de poids, vous aurez un
plus grand sentiment de contrôle et aurez probablement plus de facilité à le
suivre. Un programme que vous aurez personnalisé tiendra compte de vos
besoins spécifiques et vous assurera ainsi d'un maximum de flexibilité.

Certaines personnes préféreront changer radicalement leur alimentation, d'autres la modifier progressivement. Certains n'auront pas le désir ou le temps d'inclure de l'activité physique, d'autres en feront une priorité.

Plus le programme correspondra à vos goûts et à votre personnalité, plus vous aurez du plaisir à le suivre et meilleures seront vos chances de maigrir et de maintenir cette perte de poids à long terme. Peu importe la nature ou l'ampleur de vos défis, toute démarche sérieuse devra débuter par *votre engagement volontaire dans le processus de changement*. L'essentiel sera d'identifier les changements que vous personnellement, voulez et pouvez, apporter à votre vie.

Vous pourrez ensuite passer à l'étape suivante qui est de déterminer vos objectifs d'amaigrissement.

Déterminez un objectif réalisable

Deuxième principe

En suivant ce deuxième principe, je vous invite à rechercher une perte de poids *optimale* plutôt qu'une perte de poids maximale. C'est-à-dire, à rechercher la perte de poids qui vous sera la plus favorable, en terme de santé et de bien-être. Pour ce faire, il faudra cesser de pourchasser *le* poids idéal et tenter plutôt d'atteindre *votre* poids idéal. Vous aurez ainsi beaucoup plus de facilité à maintenir ce nouveau poids.

Des chercheurs ont voulu connaître les objectifs et attentes de 60 femmes obèses à l'égard de leur amaigrissement[3]. Ils ont demandé aux participantes d'indiquer non seulement leur objectif de perte de poids, mais aussi ce que serait: leur «poids de rêve» après le régime, le poids qu'elles seraient quand même «heureuses» de peser, le poids qu'elles considéreraient «acceptable» et enfin, le poids qu'elles jugeraient «décevant» de peser. Il a été calculé qu'en moyenne, leur objectif était de perdre 32% de leur poids initial. Par exemple, l'objectif d'une femme pesant 90 kg (198 lb) était de peser 61 kg (135 lb). Après les 11 mois de traitement et une perte moyenne de 16 kg (35 lb), près de la moitié des participantes n'avaient même pas atteint ce qu'elles considéraient être un poids *décevant*.

Donnez-vous les chances de réussir

Cette étude montre à quel point il est fréquent de se fixer un objectif d'amaigrissement inaccessible. C'est même la norme. Dans le passé, vous vous êtes peut-être déjà fixé un tel objectif pensant que cela vous motiverait. Cependant, même après avoir perdu du poids, il est fort probable que vous ayez été déçu. Cette façon de faire vous a peut-être même éloigné du but que vous désiriez atteindre. En effet, la frustration et la déception que vous avez ressenties ont possiblement renforcé un sentiment d'échec et contribué ainsi au regain de poids. Choisir un objectif de perte de poids n'est donc pas sans importance.

Des recherches ont montré que les femmes qui participaient à un programme d'amaigrissement visant une perte de poids modeste perdaient, dans un premier temps, moins de poids que celles ayant pris part à un programme d'amaigrissement plus ambitieux. Cependant, un an après le traitement, ces femmes avaient finalement perdu davantage de poids que les autres[10].

Atteindre vos objectifs est valorisant et encourageant. Il est donc primordial au début d'un programme d'amaigrissement de vous mettre en position de les atteindre. Les victoires rehausseront la confiance en vos capacités et vous donneront de l'assurance. En retour, cette confiance vous permettra de faire face aux insécurités et tensions de la vie en optant pour des stratégies saines qui rehausseront votre estime de vous-même, au lieu de renforcer un sentiment d'inaptitude. La confiance en vos capacités vous aidera, par exemple, à retourner à de bonnes habitudes alimentaires après quelques excès de table au lieu de tout abandonner de crainte de ne pas être capable de poursuivre le programme.

Combien de poids devrais-je perdre?

Il est impossible de prédire quel sera le poids le plus bas que vous pourrez maintenir tout en demeurant en santé. Les différences individuelles sont très importantes. Cependant gardez en tête qu'il est normal et sain de prendre du poids en vieillissant (en moyenne 2 à 3 kg par tranche de 10 ans après l'âge de 25 ans[6]). Pour cette raison, il ne sera peut-être pas possible ni même souhaitable de peser à 40 ans ce que vous pesiez à 25 ans. Laissez votre corps vous indiquer ce qui sera bon pour lui. En apportant certains changements dans votre alimentation et votre activité physique, votre corps voudra naturellement maintenir un poids inférieur.

Si vous faites de l'embonpoint depuis votre enfance, ne vous découragez pas. Vous aussi pouvez atteindre votre poids-santé. En suivant le deuxième principe qui est de *déterminer un objectif de perte de poids réalisable*, votre démarche sera stimulante et vous serez encouragé par les résultats. Vous maximiserez ainsi vos chances d'accéder à une santé et une qualité de vie meilleures.

Prenez le temps de maigrir

Pour être efficace, votre objectif d'amaigrissement devrait être réaliste en terme de poids à perdre, mais aussi en terme de *temps* nécessaire pour perdre ce poids.

De nombreuses études ont révélé qu'une **perte de 5 à 10% du poids initial** améliorait significativement la santé (baisse de cholestérol et de pression artérielle, meilleur contrôle du taux de sucre sanguin, meilleure estime de soi et plus encore)[4,7,10]. Ces bienfaits se font ressentir même si la personne demeure bien «enveloppée»[2]. Donc, pas besoin d'être *mince* pour être en santé et mieux dans sa peau. J'admets qu'il peut être frustrant de se contenter d'une perte de poids moindre que celle que l'on espérait, mais sûrement moins que de retourner à son poids de départ, n'est-ce pas?

Une perte de 5% du poids initial est un objectif à la portée de la majorité des gens. Par exemple, si vous pesez 79 kg (174 lb), une telle perte équivaut à maigrir d'environ 4 à 8 kg (8.5 lb à 17 lb). Cette perte de poids peut constituer *une première étape*.

Les avantages de procéder par étapes sont doubles. D'une part vous vous fixez des objectifs atteignables. Vos progrès sont réels et cela vous encourage à maintenir vos nouvelles habitudes de vie. D'autre part, vous laissez à votre organisme le temps de s'ajuster aux changements métaboliques qui s'opèrent en lui. Une perte de poids trop rapide précipite l'organisme dans un état de lutte pour maintenir ses réserves de graisse. À l'opposé, un amaigrissement progressif permettra d'abaisser, jusqu'à une certaine limite, votre poids de consigne.

Des objectifs précis et quantifiables

Imaginez que vous soyez un nouvel employé dans une entreprise et qu'un de vos supérieurs vienne le premier jour de votre travail vous expliquer la nature de vos nouvelles fonctions. Aimeriez-vous qu'il vous dise simplement: «D'ici la fin de l'année, j'aimerais que tu aies fait ceci» et qu'il réapparaisse seulement un an plus tard pour voir si vous avez atteint cet objectif? Il est probable que non. Vous n'auriez aucun moyen de rendre compte à votre supérieur de vos progrès au fil des mois. L'évaluation de votre performance ne tiendrait compte que de l'atteinte ou non de l'objectif final, sans tenir compte des progrès accomplis en cours de route. Difficile de rester motivé dans de telles conditions n'est-ce pas?

Bon nombre de personnes qui tentent de perdre du poids se placent pourtant dans cette situation. *Elles ne formulent qu'un objectif final.* Pour rester motivé, il faut pouvoir sentir que l'on progresse, il faut connaître des réussites.

Multipliez vos victoires

Des psychologues ont récemment souligné l'importance des gratifications à court terme dans le processus de perte de poids[8]. En vous fixant une série de petits objectifs atteignables, vous augmenterez la fréquence de ces gratifications. D'une part, l'expérience sera beaucoup plus agréable, et d'autre part, cela confirmera à plusieurs reprises que vous avez les capacités requises pour atteindre les objectifs que vous vous fixez, ce qui est très valorisant.

Je suggère donc de ne pas vous concentrer sur un objectif final, mais plutôt sur une première étape qui deviendra votre premier objectif. Par exemple, visez une perte de 5% de votre poids initial. Si vous pesez 97 kg (210 lb), il faut tout d'abord calculer ce qu'une telle perte de poids représente. Dans votre cas, cela représente une perte d'environ 4,8 kg (11 lb). Une fois descendu à 91,2 kg (199 lb), si vous le désirez et que vous vous sentez bien, vous pouvez ensuite vous fixer l'objectif de perdre encore 5% de votre masse actuelle, soit environ 4,6 kg (10 lb) et ainsi de suite.

Prenez le temps d'écrire votre objectif sur une feuille sur votre réfrigérateur, ou sur un calendrier, ou encore sur une feuille de route comme celle que vous retrouverez dans la section «*Vos outils*» à la fin du livre. Le simple fait de l'écrire, concrétise votre objectif et souligne votre engagement. Pour rester motivé, il faudra maintenant trouver des moyens de mesurer vos progrès.

Trois moyens de mesurer vos progrès

La pesée

Bien qu'étant probablement la façon la plus simple de suivre votre progression, je suggère de ne pas vous peser plus d'une fois par semaine. Se peser tous les jours tient plus de l'obsession que d'une stratégie raisonnable. La transpiration excessive, l'ingestion de nourriture ou de liquide, l'élimination intestinale ou urinaire font varier notre poids au cours de la journée. Ces variations de poids ne sont toutefois pas attribuables à des fluctuations de votre contenu en gras. Elles témoignent plutôt de variations normales de votre contenu en eau. Vous peser tous les jours peut donc s'avérer une stratégie trompeuse et causer de fausses joies ou encore des déceptions non fondées.

À ce propos, une équipe de chercheurs britanniques a pesé 74 hommes et femmes de poids normal[9]. Se basant sur une grille d'analyse fictive, ils ont indiqué aux sujets qu'ils étaient soit «trop maigres», dans «la norme», ou «trop gras». Dans les minutes qui ont suivi, l'humeur des sujets à qui on avait annoncé qu'ils étaient trop gras a changé de façon significative. Ils ont montré plus de symptômes dépressifs et une baisse de l'estime de soi. Les auteurs ont conclu de cette étude que de se peser et de comparer son poids à des normes sont des activités moins banales qu'elles n'en ont l'air. Dans certaines circonstances, elles peuvent même avoir des conséquences néfastes pour le bien-être de la personne.

Se peser peut néanmoins être une façon simple et efficace d'évaluer vos progrès. Pour que la pesée soit efficace et le moins traumatisante possible, il faut toutefois qu'elle réponde aux deux critères suivants. Premièrement, la pesée doit refléter votre *contenu en gras*. Une pesée hebdomadaire faite dans les mêmes conditions (même pèse-personne, heure de la journée, habillement) a beaucoup plus de chance de déceler une réelle variation de votre contenu en gras que si elle est effectuée tous les jours.

Deuxièmement, la pesée doit être vue comme *un moyen d'apprécier vos propres progrès* et non comme un test permettant de savoir si vous correspondez aux attentes de notre société. Peu importe le poids que vous aurez perdu, vous devez d'abord voir *votre cheminement* comme une réussite personnelle. En vous basant sur vos propres progrès et en vous félicitant du chemin parcouru, vous aurez probablement plus de chance de persévérer que quelqu'un qui se laisse décourager par des objectifs irréalistes de perte de poids.

Le tour de taille

Une autre façon d'apprécier vos progrès, particulièrement si vous avez tendance à prendre du poids dans la région abdominale, est de mesurer votre tour de taille lorsque vous vous pesez. Pour ce faire, placez le ruban à mesurer autour de votre abdomen, à la hauteur du nombril. Assurez-vous de toujours mesurer votre tour de taille de la même façon.

Des experts ont démontré que les hommes dont le tour de taille est supérieur à 100 cm présentaient un risque très élevé de développer des maladies cardiovasculaires[13]. Pour les femmes, un tour de taille de plus de 90 cm représenterait un danger semblable pour la santé. Pour éviter de tels problèmes, les spécialistes suggèrent les recommandations suivantes[4]:

Hommes (tour de taille > 102cm), **Femmes** (> 88 cm)	perdre du poids serait nécessaire
Hommes (tour de taille > 94 à 100 cm), **Femmes** (> 80 à 90 cm)	évitez le gain de poids
Hommes (tour de taille < 94 cm), **Femmes** (< 80 cm)	essayez de maintenir votre poids

Dites-vous que chaque centimètre perdu améliore non seulement votre apparence, mais aussi votre santé.

L'Indice de Masse Corporelle

L'Indice de Masse Corporelle (ou IMC) est un outil qui permet d'évaluer le rapport existant entre votre taille et votre poids. Il a été démontré que plus l'IMC est élevé, plus grands sont les risques pour la santé. Le tableau ci-dessous vous permet d'estimer votre Indice de Masse Corporelle. Chez la majorité des gens, le plus faible risque de maladie se trouve chez ceux dont l'IMC se situe entre 20 et 25. On qualifie en général cet intervalle de «poids-santé». Par exemple, chez une femme de 1,63m (5 pi 4 po), cette valeur équivaut à un poids entre 54 et 70 kg (116-145 lb). Plus l'IMC s'élève au-dessus de 25, plus grands sont les risques de développer les problèmes de santé suivants: diabète de type II, hypertension et maladies cardio-vasculaires.

Au début de votre démarche d'amaigrissement, prenez le temps de calculer votre Indice de Masse Corporelle. En perdant du poids, votre IMC s'abaissera progressivement. Par la suite, réévaluez-le à chaque mois. Vous pourrez ainsi admirer votre progression vers une santé meilleure. Je vous suggère d'utiliser la formule plutôt que le tableau car elle vous donnera un résultat beaucoup plus précis. De cette façon, vos progrès seront encore plus évidents.

Tableau d'Indice de Masse Corporelle

Poids	Kg lb	46 100	48 105	50 110	52 115	55 120	57 125	59 130	61 135	64 140	66 145	68 150	71 155	73 160
Taille en pieds	en mètres													
4'10"	1,47	21	22	23	24	25	26	27	28	29	31	32	33	34
4'11"	1,50	20	21	22	23	24	25	26	27	28	29	30	31	32
5'	1,52	20	21	22	23	24	25	26	27	28	28	30	31	32
5'1"	1,55	19	20	21	22	23	24	25	26	27	27	28	29	30
5'2"	1,58	18	19	20	21	22	23	24	25	26	27	28	28	29
5'3"	1,60	18	19	20	20	21	22	23	24	25	26	27	28	28
5'4"	1,63	18	18	18	20	21	21	22	23	24	25	26	27	27
5'5"	1,65		18	18	19	20	21	22	23	23	24	25	26	26
5'6"	1,68			18	19	19	20	21	22	23	24	24	25	26
5'7"	1,70				18	19	20	20	22	22	23	24	24	25
5'8"	1,73					18	19	20	21	21	22	23	24	24
5'9"	1,75						19	19	20	21	22	22	23	24
5'10"	1,78						18	19	19	20	21	22	22	23
5'11"	1,80						18	18	19	20	20	21	22	22
6'	1,83							18	18	19	20	20	21	22

L'intervalle «santé» est en caractère gras (IMC de 20 à 25)

Tableau d'Indice de Masse Corporelle

Poids		76 / 165	78 / 170	81 / 175	83 / 180	85 / 185	88 / 190	90 / 195	92 / 200	98 / 210	101 / 220	106 / 230	111 / 240	115 / 250	120 / 260	129 / 280	138 / 300
Taille en pieds	**en mètres**																
4'10"	1,47	35	36	37	38	39	40	41	42	44	46	48	50	52	54	60	64
4'11"	1,50	33	34	35	36	37	38	40	41	42	45	47	49	51	53	57	61
5'	1,52	32	33	34	35	36	37	38	39	41	43	45	47	49	51	55	60
5'1"	1,55	31	32	33	34	35	36	37	38	40	42	44	45	47	49	53	58
5'2"	1,58	30	31	32	33	34	35	36	37	38	40	42	44	46	48	51	55
5'3"	1,60	29	30	31	32	33	34	35	36	37	39	41	43	44	46	50	53
5'4"	1,63	28	29	30	31	33	34	35	36	36	38	40	41	43	45	48	52
5'5"	1,65	28	28	29	30	31	32	33	33	35	37	38	39	42	43	47	50
5'6"	1,68	27	28	28	29	30	31	32	32	34	36	37	38	41	42	45	49
5'7"	1,70	26	27	28	28	29	30	31	31	33	35	36	36	39	41	44	47
5'8"	1,73	25	26	27	27	28	29	30	31	32	34	35	36	38	40	43	46
5'9"	1,75	24	25	26	27	28	29	30	30	31	33	34	35	37	39	41	44
5'10"	1,78	24	24	25	26	27	28	28	29	30	32	33	34	36	37	40	43
5'11"	1,80	23	24	24	25	26	27	27	28	29	31	32	34	35	36	39	42
6'	1,83	22	23	24	24	25	26	27	27	29	30	31	33	34	35	38	41

L'intervalle «santé» est en caractère gras (IMC de 20 à 25)

Résultats IMC	
moins de 20 =	poids insuffisant, peut entraîner certains risques pour la santé
20 - 24 =	«poids-santé»
25 - 29 =	embonpoint; risques accrus pour la santé
30 - 34 =	obésité niveau I; risques élevés pour la santé
35 - 39 =	obésité niveau II; risques très élevés pour la santé
40 et plus =	obésité niveau III; risques extrêmement élevés pour la santé

Formule pour calculer votre IMC (*facultatif*)

Le tableau ci-dessus offre des valeurs arrondies à l'unité près. Il est possible de calculer votre Indice de Masse Corporelle de façon plus précise en divisant votre poids en kg par votre taille en mètre au carré (ou multipliée par elle-même), soit: kg/m^2. Par exemple: Si Nicole pèse 67 kg et qu'elle mesure 1,65 m, elle divise 67 par 2,72 (1,65 X 1,65). Elle obtiendra 24,6. Ceci est son IMC.

Formulez des actions concrètes

Pour réussir, il faut que vous sachiez précisément ce que vous voulez faire et comment vous allez y parvenir. Vos objectifs doivent donc être clairement établis. Pour vous donner toutes les chances de réussir, visez des actions concrètes. Voici quelques exemples de ces actions et de la manière dont vous pouvez les formuler:

Exemple 1.

Objectif: Perdre 5% de mon poids, soit 4,5 kg (10 lb).

Pour réussir, je m'engage à:

1. Ne pas sauter de repas
2. Consommer tous les jours au moins 5 portions de fruits et de légumes
3. Manger du pain à grains entiers au lieu du pain blanc

Pour suivre ma progression je vais me peser une fois par semaine.

Exemple 2.

Mon objectif est d'avoir un tour de taille inférieur à 90 cm.

Pour y parvenir, je m'engage à:

1. Marcher tous les jours pour aller au travail
2. Boire du lait écrémé ou à 1% de matière grasse
3. Ne pas grignoter si je n'ai pas faim
4. Manger au moins un repas à base de légumineuses par semaine

Pour suivre mes progrès, je vais mesurer mon tour de taille tous les samedis matins. Cette semaine mon tour de taille est:_____

Exemple 3.

Objectif: mon but est de perdre 10% de ma masse initiale. Cela correspond à une perte de 16 kg (34,7 lb).

Pour atteindre mon objectif, je m'engage à:

1. Consommer à tous les jours au moins 5 portions de produits céréaliers dont 3 à base de grains entiers
2. Retirer tout le gras apparent de ma viande
3. Manger au restaurant au maximum 2 fois par semaine
4. Boire de 6 à 8 verres d'eau par jour
5. Faire mon vidéo d'aérobie 2 fois par semaine

Pour mesurer mes progrès je vais me peser une fois par semaine. Mon poids cette semaine est de:_____. Je calcule aussi mon IMC au début de chaque mois.

Exemple 4.

Mon but est d'améliorer ma forme physique ainsi que le contrôle de mon diabète en perdant au moins 5% de ma masse initiale soit, 8 kg (17,4 lb).

Pour atteindre mon but, je m'engage à:

1. Suivre les recommandations de la diététiste, soit de manger le nombre indiqué de portions dans chacun des groupes alimentaires
2. Essayer au moins deux nouvelles recettes faibles en gras par semaine
3. Consommer au moins une portion de poisson par semaine
4. Faire 5 minutes d'exercice après chaque heure passée à l'ordinateur

Pour suivre mes progrès je vais faire mes tests de glycémie tels que prescrits et prendre en note les résultats. Je vais noter tous les jours, le nombre maximal de répétitions que je suis capable de faire pour chaque exercice. Je vais aussi me peser une fois par semaine.

50

Ces quelques exemples vous aideront peut-être à formuler vos propres objectifs. Ces objectifs peuvent viser l'amélioration de votre santé, de votre apparence, de votre bien-être, etc. Choisissez ce qui sera le plus motivant pour vous. Je recommande d'inscrire vos objectifs ainsi que les actions concrètes que vous entendez poser pour les atteindre sur la feuille prévue à cet effet dans la section «*Vos Outils*».

Je vous suggère de souligner chacune de vos réussites. Offrez-vous une récompense ou un petit plaisir pour chaque objectif atteint. Autant que possible, une récompense qui n'a pas trait à la nourriture. Ce peut être aussi simple que de vous offrir une pause au cours de votre journée mouvementée pour vous détendre, réfléchir à votre cheminement et savourer vos progrès. Ce peut être de vous offrir un nouveau roman, d'aller visiter une amie ou encore d'aller au cinéma avec votre conjoint ou en famille. Ces petites célébrations concrétisent l'atteinte de vos objectifs et confirment votre progression. Non seulement votre silhouette change, mais votre niveau d'énergie s'élève et votre santé s'améliore. Il y a de quoi célébrer!

Qu'est-ce qu'une perte de poids optimale?

Comme je le disais plus tôt, chez la majorité des gens une perte de poids optimale (et une santé optimale) sera associée à un Indice de Masse Corporelle compris entre 20 et 25. Leur organisme aura naturellement peu de difficultés à maintenir ce nouveau poids. Pour d'autres cependant, un état de santé optimal sera atteint à un IMC supérieur à 25, *même s'il est associé à de l'embonpoint*. Certains experts, comme le Dr Angelo Tremblay de l'Université Laval à Québec, précisent que l'Indice de Masse Corporelle est un outil valable pour la population en général mais pas nécessairement pour tous les individus (voir entrevue). Le Dr Angelo Tremblay va même jusqu'à suggérer que maigrir au-delà d'un IMC de 25 serait nuisible pour certains individus, créant chez eux, un état de vulnérabilité physiologique les prédisposant non seulement au regain de poids, mais aussi à divers problèmes de santé[12].

Il est important de laisser votre corps vous dicter ce qui sera bon pour lui. Après une série de plateaux plus ou moins longs, votre perte de poids arrivera éventuellement à un plateau final. Si après quelques mois votre poids demeure le même et que vous mangez sainement, il est probable que ce poids se trouve à être votre nouvelle consigne. Respectez-la. Certaines personnes plafonneront peut-être à 28 d'Indice de Masse Corporelle, d'autres à 25 ou 24. Cela signifie que leur poids de consigne ne peut pas être abaissé davantage.

L'essentiel est que vous puissiez maintenir ce nouveau poids. Si vous avez procédé progressivement et que vous conservez vos nouvelles habitudes de vie, votre régulateur de gras travaillera dorénavant à maintenir ce poids. Si au contraire vous montrez des signes de perte de poids excessive (voir un peu plus loin), il est probable que vous êtes descendu en dessous de ce que votre corps peut maintenir confortablement.

De la même façon qu'il n'y a pas une seule taille qui soit la meilleure, il n'y a pas qu'un seul poids qui soit parfait pour tous. Nous avons cependant tous un intervalle à l'intérieur duquel notre poids va avoir tendance à se stabiliser. Un poids qu'il est naturel pour nous de maintenir. En ce sens, il n'est peut-être pas donné à tous d'être mince. Mais en respectant l'infinie variété des gabarits, il est donné à la plupart des gens d'atteindre *leur* poids idéal.

Entrevue avec Angelo Tremblay, Ph. D.

Le Dr Tremblay est un chercheur renommé dont les travaux ont grandement contribué à l'avancement des connaissances dans le domaine de l'obésité. Il est professeur titulaire au département de médecine sociale et préventive de l'Université Laval à Québec. Il a été interrogé dans le cadre de cet ouvrage. Voici un résumé de ses propos.

Q. On entend souvent qu'une saine alimentation et l'exercice ne suffisent pas pour traiter l'obésité, l'hypertension ou l'hyper-cholestérolémie et qu'il est plus efficace de se tourner vers la médication. Qu'en pensez-vous?

R. *Je trouve déplorable que l'approche thérapeutique ne se concentre que sur le surplus de gras, plutôt que sur les habitudes de vie qui ont entraîné cet état. Ce n'est pas l'obésité qui est la source du problème. Le traitement ne vise pas la bonne cible. Par exemple, il existe une corrélation positive entre le gain de gras et le cholestérol sanguin. On en conclut que le gain de graisse est nocif car il cause une élévation du cholestérol sanguin. Je crois toutefois qu'il serait plus juste d'établir la corrélation entre une alimentation riche en gras saturé et un taux de cholestérol élevé. L'obésité est un symptôme plutôt qu'une maladie.*

Il y a dans l'obsession de la minceur quelque chose de tragique, qu'il est difficile d'expliquer. À partir du moment où l'on choisit d'intervenir directement, et à tout prix sur la graisse corporelle, on propose une thérapie mal adaptée. On suggère ainsi une diète répressive, qui ne vise pas à corriger les éléments inadéquats de l'alimentation de la personne. On ne montre pas à cette personne à bien manger. Après cette diète, elle retournera donc à son alimentation habituelle. Elle n'aura pas appris à choisir les aliments qui rassasient tout en contenant moins de calories.

De plus, des études montrent que certains individus qui perdent beaucoup de poids, deviennent physiologiquement vulnérables. Leur métabolisme ralentit, ils brûlent moins de gras, leur système immunitaire est moins efficace et ils seraient plus vulnérables au stress. De récents travaux ont aussi révélé que la perte de poids occasionne une hausse de certains polluants (les organochlorés) dans le sang. Ces polluants, qui sont sous forme de pesticides ou d'autres produits manufacturés, ont tendance à s'accumuler dans nos réserves de gras. Lorsque la personne maigrit, ils se concentrent dans le sang et sont ainsi en contact avec le système nerveux et tous les organes. Bien que l'utilisation des organochlorés soit bannie dans la plupart des pays industrialisés, elle demeure pratique courante dans de nombreux pays. En fait, je crois de plus en plus que le tissu adipeux confère une forme de protection physiologique et témoigne possiblement d'une adaptation à notre environnement moderne (alimentation, sédentarité, pollution, stress, etc.)[12]. D'un point de vue biologique, il est normal que l'homme du 21ᵉ siècle soit plus potelé que ses ancêtres.

Q. Suggérez-vous qu'il serait mieux pour une personne obèse de ne pas maigrir?

R. *Non. Cependant, il est nécessaire de réajuster nos objectifs et d'adopter une approche plus prudente. Compte tenu de la société moderne dans laquelle nous vivons, il devient important de viser l'atteinte d'un poids-santé, plutôt que la minceur à tout prix. Ce poids-santé devrait permettre à la personne d'éviter les problèmes de santé associés à l'obésité (diabète, hypertension, cholestérol élevé) tout en évitant un état de vulnérabilité physiologique causé par une trop grande perte de poids (ralentissement du métabolisme, baisse de la résistance au stress et de la fonction immunitaire, etc.).*

Ce poids-santé ne peut pas être déterminé par des règles strictes ou un Indice de Masse Corporelle donné. Chaque personne étant différente, l'objectif de perte de poids devrait donc être individualisé. À l'heure actuelle, la plupart des médecins ne sont pas formés pour pouvoir reconnaître une perte de poids excessive sur le plan métabolique. Ils ne s'en tiennent qu'à recommander l'atteinte d'un Indice de Masse Corporelle acceptable. Par contre, nos recherches suggèrent que pour certaines personnes, il peut être nocif pour leur santé de descendre à un Indice de Masse Corporelle de 25. Nous en sommes à développer des outils d'analyse qui nous permettront d'offrir un service de physiologie clinique aux médecins traitant des patients obèses. Ces analyses permettront d'évaluer au cours du processus d'amaigrissement, les adaptations physiologiques de l'organisme du patient et ainsi, de déceler les signes d'une trop grande perte de poids chez cette personne. Il pourrait ainsi être possible dans l'avenir, de déterminer avec plus de précision le poids-santé spécifique de chaque individu.

Q. Croyez-vous que l'abaissement de la consigne puisse résulter en une perte de poids permanente?

R. *Oui, je crois qu'il est possible d'abaisser son poids de consigne et que cet abaissement de la consigne résulte en une perte de poids. Toutefois, je suis convaincu que pour maintenir cette perte de poids à vie, la personne doit absolument conserver les habitudes qui ont mené à cette perte de poids.*

Le Dr Tremblay a souligné l'importance d'atteindre un poids qui soit sain pour vous. En attendant que des tests métaboliques fiables soient disponibles, *les signes suivants peuvent indiquer que vous avez atteint une **perte de poids optimale**:*

- Vous êtes énergique
- Votre alimentation vous rassasie (vous n'avez pas constamment faim)
- Vous êtes détendu en présence de nourriture
- Vous avez tendance à maintenir votre poids si vous conservez des habitudes alimentaires saines
- Vous avez bonne humeur
- Vous êtes bien dans votre peau
- Vous avez confiance en votre capacité à maintenir cette perte de poids à long terme
- Votre bilan lipidique (cholestérol et triglycérides) s'est amélioré
- Si vous souffriez d'hypertension, votre pression artérielle est maintenant moins élevée
- Si vous êtes diabétique, vous avez plus de facilité à stabiliser votre glycémie
- Votre résistance aux infections est normale

À l'opposé, il est possible qu'une perte de poids trop importante entraîne des effets néfastes pour la santé, même si votre poids demeure dans les limites de la normale ou même, supérieur à la normale. *Les manifestations suivantes peuvent indiquer que la **perte de poids est excessive ou trop rapide**:*

- Vous vous sentez souvent faible
- Vous avez constamment faim
- Vous êtes obsédé par la nourriture

- Vous avez tendance à reprendre du poids facilement même en mangeant sainement
- Vous ne vous sentez pas capable de maintenir cette perte de poids à long terme
- Vous ne vous sentez pas bien dans votre peau
- Vous vous sentez souvent déprimé ou irritable
- Votre résistance aux infections est faible

Certains individus, anciennement obèses, se voient toujours gros et ce, même après avoir perdu beaucoup de poids. Ce phénomène a été observé par divers chercheurs et médecins et rapporté dans la littérature scientifique. Le docteur Thomas Cash a nommé ce phénomène «phantom fat» ou *gras fantôme*, en faisant référence au membre fantôme qui crée des douleurs chez l'amputé[1]. C'est un peu comme si la personne qui a maigri se sentait «amputée» de son gras et qu'elle ressentait encore la présence de cette chair.

J'ai réfléchi à cette question en partant du concept de la consigne[5]. Mon hypothèse est qu'il y aurait deux causes possibles à ce phénomène. La première serait *une perte de poids excessive*. Ces gens auraient trop maigri et atteint un poids anormalement bas pour eux. Ils se retrouvent ainsi temporairement en dessous de leur poids de consigne. La plupart de ces personnes ayant été obèses depuis l'enfance, il est possible qu'elles n'étaient pas destinées à être aussi mince. Le Dr Cash rapporte d'ailleurs que ces patients ressentaient une grande vulnérabilité à l'égard du regain de poids.

La deuxième cause possible serait une *perte de poids trop rapide* chez ces individus. Ainsi, la consigne n'a pas eu le temps de s'abaisser graduellement et leur «image corporelle» n'a pas eu le temps de s'ajuster. En d'autres mots, bien qu'elles soient maintenant minces, ces personnes sont demeurées «grosses» dans leur tête. Leur consigne n'a pas eu le temps de s'abaisser. Par conséquent, il est fort probable que ces personnes reprennent du poids.

Les divers signes physiques et psychologiques qui suggèrent une perte de poids trop importante ou trop rapide, confirment l'importance de maigrir «sagement», c'est-à-dire, d'y aller progressivement tout en écoutant son corps.

Déterminez un objectif de perte de poids réalisable: deux témoignages

Les deux témoignages qui suivent montrent que ces personnes ont eu le souci de ne pas perdre du poids au détriment de leur santé. Elles se sont toutes deux fixées un objectif de perte de poids appropriée pour leur âge et leur gabarit.

Marie-Claude R., 16 ans

J'ai toujours été un peu ronde. À la puberté, mes rondeurs se sont accentuées. Mon alimentation était alors assez équilibrée, mais mon penchant pour les desserts, les biscuits et le fromage me faisait consommer plus de calories que nécessaire. N'étant pas très grande, à 143 lb (65,9 kg), j'avais quelques kilos en trop et je ne me sentais pas bien dans ma peau. Je savais que je devais aussi changer certains aspects de mon alimentation. Ma mère m'a alors suggéré de consulter un médecin afin de choisir une stratégie de perte de poids qui serait sécuritaire à l'adolescence et n'entraînerait pas de retard de croissance. L'anorexie étant fréquente à mon âge, ma mère voulait aussi s'assurer que ma nouvelle alimentation soit saine et n'engendre pas de désordre alimentaire. Mon médecin a suggéré deux métho-des, dont une qui s'inspirait du Guide alimentaire canadien. Pour des raisons pratiques, c'est cette dernière que nous avons retenue.

Comme ma mère prépare la majorité des repas, elle a dû intégrer de nouvelles habitudes de cuisine. Inclure davantage de légumes et de fruits dans l'alimentation de notre famille a probablement été le plus grand changement dans nos habitudes. De mon côté, je me suis ap-pliquée à noter tout ce que je mangeais durant la journée. J'ai trouvé ce processus fastidieux, mais je reconnais qu'il m'a permis de réa-liser les lacunes de mon alimentation, tout en m'assurant de bien manger chacune des portions recommandées. J'ai dû faire preuve de persévérance car durant les trois premières semaines, je n'ai pas perdu de poids. J'ai même pris une livre! Cependant ma patience et mes efforts ont porté fruit, car peu de temps après, je me suis mise à maigrir progressivement. En 5 mois j'ai atteint mon objectif en perdant 18 lb (8,3 kg). Je maintiens ce poids-santé depuis plus d'un an et j'ai le sentiment d'avoir acquis de saines habitudes alimentaires qui me seront utiles tout au long de ma vie.

Diane A., 45 ans

Ma motivation à perdre du poids n'était pas reliée à mon apparence, mais plutôt à ma santé. Quelques années plus tôt, j'avais commencé à avoir de la difficulté à monter les escaliers. Mon travail avec les enfants m'obligeait souvent à passer d'un étage à l'autre, ce qui m'essoufflait beaucoup. Depuis un certain temps, mes enfants devaient aussi m'aider à mettre mes bottes et à les lacer pour moi. J'étais constamment fatiguée malgré le fait que je me levais vers 9h ou 10h et faisais une sieste en après-midi.

Étant mère de 7 enfants et vivant à la campagne, j'ai consacré les 25 dernières années à m'occuper de ma famille. Pendant longtemps, mon quotidien a tourné essentiellement autour des tâches ménagères: les repas, le lavage, le ménage, les devoirs. Très timide et mal à l'aise en public, je sortais très peu de la maison. Lorsque je devais faire des courses, je prenais toujours quelqu'un avec moi.

Jusqu'à récemment, j'avais l'impression que mon embonpoint datait de ma première grossesse. En fait, je n'y avais pas porté tellement d'attention. Avec tout le boulot à faire à la maison, je n'avais jamais vraiment eu le temps de me préoccuper de mon tour de taille. Cependant, en regardant des photos il y a quelques jours, j'ai été surprise de constater que mon embonpoint ne datait que de la naissance de mon 5ᵉ enfant.

Durant les années qui ont suivi cette naissance, j'ai pris du poids pour finalement atteindre 210 lb (96,8 kg). Ce moment coïncide aussi avec l'achat d'une maison qui nécessitait beaucoup de rénovations. Le stress associé à ces événements et à la solitude, car mon mari travaillait alors beaucoup, me faisait me tourner vers la nourriture comme source de réconfort. Les soirées, que je passais habituellement seule, étaient particulièrement pénibles pour moi. Il m'arrivait souvent de manger une douzaine de beignes en regardant la télévision. Parfois aussi, je me servais une grosse assiette de frites en soirée. Élevant du porc, des bœufs et des poules, la viande était prédominante aux repas. Le gras de viande entourant les rôtis ou les steaks était un régal pour moi. Je servais alors peu de légumes, habituellement des légumes en conserve. Je cuisinais cependant beaucoup pour ma famille, et aimais faire mes propres egg-rolls et autres mets chinois, ainsi que les lasagnes et divers plats italiens.

En 1996, un ami de la famille qui avait perdu 70 lb (32,3 kg) avec l'aide d'un programme se basant sur le Guide alimentaire canadien m'a alors suggéré de l'essayer. Ce qui m'a motivée à choisir cette approche plutôt qu'une autre, c'était le fait que le programme avait été élaboré à partir de connaissances reconnues en matière de nutrition. J'avais déjà essayé un régime aux protéines liquides, et avais trouvé l'expérience dénaturée et extrêmement désagréable. J'étais maintenant convaincue que ma perte de poids devait d'abord passer par une alimentation saine.

La transition n'a cependant pas été facile. Tout d'abord mon penchant pour les aliments gras m'a fait dévier de mon programme à plusieurs reprises au cours des premiers mois, ce qui a ralenti ma perte de poids. J'ai aussi dû apprendre à varier mes menus et à développer un goût pour les légumes qui prenaient maintenant une plus grande place dans mon alimentation. Cependant, malgré ces difficultés, j'étais motivée à poursuivre et j'ai réussi, en 20 mois, à retrouver un poids de 138 lb (63,6 kg). Peu de temps après, en 1998, mon mari qui souffrait d'un cancer est décédé. Cette période éprouvante a bousculé mon quotidien et celui de mes enfants. La crainte de replonger dans mes anciennes habitudes a refait surface. Toutefois depuis ma perte de poids, j'étais déterminée à demeurer en santé et à garder un équilibre dans ma vie. Je ne m'imposais pas d'interdits alimentaires et j'ai préféré garder un maximum de souplesse dans mon menu. J'ai trouvé cependant particulièrement utile de prendre en note tout ce que je mangeais au cours de la journée. Ainsi, je pouvais me réajuster au cours des jours suivants si j'avais consommé plus d'aliments riches qu'à l'habitude.

Progressivement, je me suis mise à faire des choses dont je ne me serais jamais crue capable auparavant. Je me suis engagée dans des activités bénévoles et j'ai maintenant un travail auprès du public. Paralysée par la timidité depuis mon enfance, je ne sortais même pas à l'épicerie sans être accompagnée. Ma nouvelle assurance me surprend et me donne une liberté que n'avais jamais connue. Je maintiens ma perte de poids depuis près de 3 ans.

_____

En conclusion, le deuxième principe: «*Déterminez un objectif de perte de poids réalisable*», vous invite à rechercher une perte de poids optimale plutôt qu'une perte maximale. En procédant par étapes et en demeurant à l'écoute de signes qui pourraient indiquer un amaigrissement trop important ou trop rapide, vous en arriverez à déterminer la perte de poids qui sera la plus favorable pour vous en terme de santé et de bien-être. À l'aide des exemples présentés, prenez le temps de formuler vos propres objectifs et à déterminer les moyens par lesquels vous entendez les atteindre. Souvenez-vous qu'en divisant votre parcours en plusieurs étapes accessibles, vous multiplierez vos victoires.

Abaissez votre consigne

Troisième principe

Si les deux premiers principes font surtout appel à la réflexion, le prochain fait davantage appel à l'action. Rappelons que le premier principe, «Endossez le changement», vous a incité à prendre le contrôle de vos comportements et que le second, «Déterminez un objectif réalisable», a donné une direction à vos efforts. Ce troisième principe visera à présent à agir concrètement sur votre corps. Il s'agira d'*abaisser votre poids de consigne*. En appliquant ce principe, votre corps cherchera à stabiliser son poids à une valeur moindre. En d'autres termes, il sera reprogrammé pour peser moins.

À l'heure actuelle, deux stratégies saines et sécuritaires sont connues pour abaisser le poids de consigne;

1. *Consommer une alimentation saine et équilibrée*
2. *Faire de l'exercice*

Vous connaissiez évidemment déjà ces deux stratégies et vous êtes peut-être déçu de ne rien voir de plus sophistiqué. Cependant, je vous propose de les aborder d'un angle nouveau, de les regarder à la lumière des trois lois naturelles que nous avons vues plus tôt. Pour ce faire, revenons quelques instants à l'analogie du système de chauffage. La mentalité courante — *il faut se battre contre son corps pour maigrir* — équivaut à tenter de refroidir une maison surchauffée en ouvrant une fenêtre pendant quelques instants. Comme vous le savez, cette stratégie n'est pas la meilleure car elle déclenche l'activation du système de chauffage. Cette activation s'oppose à l'objectif souhaité en élevant la température. La personne a alors beau damner les calorifères, le problème ne vient pas de la source de chaleur mais bien du centre de commande: le thermostat. Pour pouvoir maintenir une pièce plus fraîche, la meilleure stratégie est plutôt d'*abaisser la consigne du thermostat.*

Ce raisonnement semble couler de source, et vous vous dites que tout cela est bien évident. Néanmoins, c'est de cette façon que la majorité des gens abordent la perte de poids. Ils tentent de régler un problème d'obésité (maison surchauffée) en ayant recours pendant quelques semaines, à une diète très sévère (ouverture temporaire d'une fenêtre). Ils perdent alors du poids (la température baisse momentanément), mais inévitablement, ces personnes le reprennent dans les semaines ou les mois qui suivent (retour à la température indiquée sur le thermostat). Le problème vient du fait qu'elles ont cherché une solution rapide et que cette attitude les a fait opter pour des stratégies inefficaces à long terme. En voulant sauter des étapes, elles ont enfreint les lois naturelles qui gouvernent notre poids.

Changer de perspective pour mieux maigrir

Pour réussir, il vous faut d'abord mettre de côté votre ancien cadre de références. Combattre votre corps, vouloir le contrôler n'est pas la solution. Cette mentalité nuit à votre succès car elle vous met en opposition avec les lois naturelles qui gouvernent votre corps. Comme ces lois finiront toujours par avoir le dernier mot, le fait de lutter contre elles ne pourra que mener à des échecs successifs et au découragement.

Je vous demande donc d'imaginer plutôt que c'est *votre corps qui se charge du contrôle de votre poids.* En effet, avec ou sans votre accord, votre organisme contrôle de façon autonome et naturelle sa propre masse (souvenez-vous de la *Loi de la consigne).* Si vous voulez réussir à maigrir pour de bon, *votre tâche visera à réorienter votre organisme plutôt que de le combattre, à contrôler votre comportement plutôt que votre corps.*

Nous ne pouvons contrôler notre physiologie. Notre volonté n'a pas d'emprise sur les lois naturelles. La seule chose que nous pouvons contrôler est notre *comportement*. Par contrôle du comportement je n'entends pas le contrôle obsessionnel de chaque bouchée de nourriture ou de chaque calorie dépensée, mais bien le contrôle de l'ensemble des comportements qui ont contribué à votre gain de poids. Commençons par jeter un bref coup d'œil sur les stratégies *à éviter*.

Pourquoi les diètes ne marchent pas

Peu importe la composition, si la diète est trop faible en calories, c'est-à-dire, moins de 1200 calories chez la femme et moins de 1600 calories chez l'homme, elle risque de déclencher des comportements vous ramenant à votre poids de départ. Nous avons vu en effet dans la *Loi de la consigne*, que la faim, les symptômes dépressifs, le manque d'énergie, l'irritabilité, les crises boulimiques et l'obsession pour la nourriture étaient souvent le lot des individus qui consomment une diète très faible en calories.

Les diètes très restrictives (moins de 1200 calories par jour) enfreignent la *Loi de la consigne* car elles sont trop faibles en énergie. Lorsque la personne recommencera à manger normalement, elle aura tendance à reprendre le poids perdu. L'*Instinct de conservation* risque aussi d'entrer en action et d'élever le poids de consigne en réaction à la privation de nourriture. La personne risque alors de reprendre plus de poids qu'elle n'en avait perdu.

Par ailleurs, il existe sur le marché des diètes qui, soi-disant, permettent aux gens de manger de grandes quantités d'aliments dans la mesure où ils ne consomment pas de glucides et de protéines en même temps. Ce sont des diètes «dissociatives». Par exemple, la personne ne peut pas manger de viande et de fruits au cours du même repas. Le concept théorique derrière ces diètes veut que la combinaison de ces nutriments favorise le stockage de gras.

Des chercheurs ont cependant démontré qu'une diète amaigrissante de type «dissociatif», ne fait pas perdre plus de poids qu'une diète amaigrissante équilibrée (où l'individu mange des repas contenant à la fois des glucides, des protéines et des lipides)[1,2]. Les deux méthodes ont engendré une perte de poids similaire. Cependant, phénomène intéressant, la diète équilibrée a abaissé la pression artérielle, mais non la diète dissociative. Il semble donc que les gens qui ont réussi à maigrir en suivant une telle diète ont perdu du poids non pas parce qu'ils ont dissocié les aliments de leur alimentation, mais tout simplement parce qu'ils ont consommé une alimentation saine et plus faible en énergie. Enfin, selon cette diète dissociative, certains aliments comme le sucre, les pâtisseries, le riz blanc, le lait non écrémé, le pain blanc et les pommes de terre sont à bannir de notre alimentation.

Pour ma part, je trouve discutable le fait d'interdire certains aliments dans le cadre d'un programme d'amaigrissement. Les interdits provoquent un sentiment de privation qui n'est pas compatible avec le maintien à long terme d'une alimentation saine. La privation érode la motivation et invite aux accès boulimiques car elle contrevient à la *Loi du plaisir*. À mon avis, il est préférable de s'efforcer de manger davantage de certains aliments, comme les fruits et les légumes ou des produits céréaliers à grains entiers, que de vouloir éliminer certains aliments qui nous procurent du plaisir. En donnant plus de place à des aliments riches en fibres et en eau, comme les fruits et les légumes ou le pain de blé entier, il est inévitable que notre consommation de gras (et donc de calories) va diminuer. Nous jouirons en prime, de tous les bienfaits nutritifs de ces aliments sains.

Optez pour une meilleure solution

La meilleure façon de connaître les secrets de l'amaigrissement est d'étudier les individus qui maintiennent leur perte de poids depuis plusieurs années. C'est ce qu'a fait une équipe de chercheurs américains[3]. Leurs travaux ont porté sur plus de mille femmes et hommes maintenant une perte d'au moins 13,6 kg (30 lb). Des tests physiques et psychologiques ont montré que ces personnes ne «luttaient» pas pour conserver un poids moindre. Ne voyant aucune détresse apparente chez elles, les chercheurs en ont conclu que ces personnes ne se trouvaient pas «en dessous» de leur poids de consigne habituel (comme c'est le cas pour certains individus qui ont perdu beaucoup de poids dans un court laps de temps). *Leur poids s'est apparemment stabilisé à une valeur moins élevée qu'auparavant.* On peut déduire que ces personnes qui réussissent à conserver un poids-santé le font parce qu'elles ont *abaissé leur consigne.*

Comment ont-elles fait?

L'étude de ces personnes montre qu'à présent, elles portent davantage attention à la qualité et à la quantité des aliments qu'elles mangent. Leur alimentation est riche en produits céréaliers à grains entiers, légumes, fruits et légumineuses. Elles consomment en moyenne 24% de leur énergie sous forme de gras et font beaucoup plus d'exercice que la moyenne des gens[4]. En adoptant de tels comportements, ces individus ont atteint un nouvel équilibre, cette fois à un poids inférieur.

Vous comprenez à présent pourquoi la mentalité —il faut combattre son corps pour maigrir— n'est pas appropriée dans une perspective de maintien à long terme. En effet, nous ne pouvons forcer impunément notre corps à conserver un poids qu'il ne désire pas maintenir. L'idée est de l'inciter à maintenir naturellement un poids inférieur.

Les recherches indiquent que deux stratégies sont efficaces pour abaisser le poids de consigne: la *consommation d'une alimentation saine et équilibrée*, et la *pratique régulière d'activité physique*. Vous verrez maintenant comment intégrer ces habitudes dans votre vie.

Abaissez votre consigne:

En adoptant une alimentation saine et équilibrée

Il y a quelques années, lorsque nous avons emménagé dans notre maison, j'ai fait la connaissance de déménageurs forts sympathiques. Pendant l'heure du dîner les trois hommes se sont installés à l'extérieur pour manger, et je suis allée leur offrir des boissons fraîches. J'ai alors remarqué que l'un d'entre eux, contrairement aux deux autres qui quelques minutes plus tôt étaient allés s'acheter un repas au casse-croûte du coin, était en train de manger un lunch apporté dans une petite glacière. Tout en parlant avec eux, je jetai un coup d'œil à son repas. Il avait commencé par boire un jus de légumes, puis pendant que les deux autres finissaient d'avaler des frites et une tablette de chocolat, il avait mangé une salade et deux sandwichs bien garnis. Après quelques minutes, les deux autres se sont levés pour retourner travailler. Avant de les rejoindre, le troisième déménageur a pris le temps de compléter son repas en mangeant un yogourt. Je ne pus m'empêcher de lui demander s'il mangeait toujours de cette façon. Cette question l'a fait sourire et il m'a répondu qu'il mangeait comme cela la plupart du temps.

Il m'a expliqué que deux ans auparavant, il avait débuté un programme d'amaigrissement inspiré du Guide alimentaire canadien. Dans le cadre de ce programme, on lui avait expliqué qu'il devait réduire sa consommation de gras et consommer tous les jours, un certain nombre de portions dans chacun des 4 groupes alimentaires qu'on lui avait présentés. Depuis, il s'efforçait d'appliquer tous les jours ces recommandations et maintenait une perte de 32 kg (70 lb). C'est en parlant à cet homme que j'ai réalisé que je devais poursuivre ma réflexion à l'égard du Guide alimentaire canadien et de son application dans la perte de poids. Je connaissais ce Guide par cœur, mais je le voyais tout à coup d'un regard neuf: il pouvait faire maigrir!

À la lumière des nouvelles connaissances que vous avez acquises sur le fonctionnement de votre régulateur de gras corporel, prenez vous aussi, le temps de regarder le Guide alimentaire canadien d'un œil nouveau.

Le Guide alimentaire canadien, une solution logique

S'inspirer du Guide alimentaire canadien pour maigrir est logique. Tout d'abord, une telle alimentation est saine et équilibrée car elle apporte à votre corps tous les nutriments et l'énergie dont il a besoin pour être en pleine santé. Mais plus encore, elle respecte les trois lois naturelles que vous connaissez maintenant. Voici comment:

La Loi du plaisir. Une alimentation basée sur les recommandations du Guide alimentaire canadien répond à notre besoin de consommer une certaine quantité de matières grasses et de sucre. L'idée est de consommer assez de gras et de sucre pour satisfaire vos papilles mais pas assez pour nuire à votre santé. Comme vous en retirerez du plaisir, vous serez davantage tentés de conserver ces habitudes alimentaires à long terme.

La Loi de la consigne. Des chercheurs de Harvard viennent tout juste de découvrir qu'une alimentation à *faible indice glycémique* avait pour effet d'abaisser la consigne[1]. L'indice glycémique est une mesure qui permet d'évaluer la capacité d'un aliment à élever le taux de sucre dans le sang. Plus l'indice de l'aliment est élevé, plus il élève le taux de sucre. Les aliments riches en sucre (ex. bonbons, pâtisseries, boissons gazeuses), les produits céréaliers raffinés (ex. pain blanc, riz blanc, gruau instantané) ainsi que les pommes de terre ont un indice glycémique élevé. À l'opposé, les fruits, légumes, légumineuses, produits céréaliers à grains entiers, ont un indice glycémique faible. Or, le Guide alimentaire canadien encourage justement la consommation de ces aliments à faible indice glycémique.

De plus, le fait de consommer des fibres, des protéines et des lipides (gras) en même temps que des glucides, (le propre des repas équilibrés recommandés par le Guide alimentaire canadien) abaisse aussi l'indice glycémique de ce repas. Ces chercheurs ont ainsi démontré que les gens qui avaient perdu du poids avec une telle alimentation conservaient un métabolisme plus élevé que celui des individus qui avaient consommé le même nombre de calories mais sous la forme d'une diète à indice glycémique élevé (riche en produits céréaliers raffinés, faible en fibres, fruits et légumes). En raison du ralentissement de leur métabolisme, ces derniers individus risquent davantage de reprendre le poids perdu. Cette étude est l'une des premières à confirmer que certains types d'alimentations pouvaient abaisser la consigne chez l'humain.

Par ailleurs, des travaux faits auprès de 75 000 femmes ont montré qu'une alimentation à faible indice glycémique était associée à une plus faible incidence de maladie coronarienne[17]. À l'opposé, les femmes qui consommaient une alimentation à indice glycémique élevé (riche en pain blanc, pommes de terres, riz blanc, etc.) *même si elles consommaient peu de gras*, couraient plus de risques de développer une maladie coronarienne.

Enfin, en suivant les recommandations du Guide alimentaire canadien, la perte de poids sera graduelle car le nombre de calories et la quantité de matières grasses ne sont pas trop faibles. Une perte de poids graduelle favoriserait l'abaissement progressif de la consigne réduisant ainsi les risques de rechute (phénomène du yo-yo). Une telle perte comporte aussi d'autres avantages pour la santé (ex. moins de risques de calculs biliaires et meilleure conservation de la masse musculaire)[19,25].

L'Instinct de conservation. En réaction à la privation régulière de nourriture, l'*Instinct de conservation* facilite le stockage d'énergie sous forme de graisse. Ainsi, lorsque la personne recommence à manger normalement après une diète sévère elle risque de reprendre plus de poids qu'elle n'en avait perdu. La consommation d'une alimentation saine et équilibrée contenant une quantité adéquate de calories, évite d'éveiller cette réaction naturelle de notre corps.

Une solution performante

Une équipe de scientifiques a récemment cherché à savoir si une alimentation basée sur les recommandations du Guide alimentaire canadien était aussi efficace pour traiter l'hypertension, le diabète ou les problèmes de cholestérol que les diètes spécialement recommandées par les médecins[11] Les résultats ont montré que les patients qui avaient consommé une alimentation basée sur ce Guide *ont perdu davantage de poids*, et ont vu une amélioration de leur cholestérol et de leur glucose sanguin supérieure aux patients qui avaient consommé la diète habituellement prescrite pour ces patients.

Nos travaux confirment que l'utilisation du Guide alimentaire canadien pour maigrir est une stratégie particulièrement efficace. En effet, nous avons récemment cherché à connaître l'efficacité à long terme d'un programme d'amaigrissement s'inspirant du Guide alimentaire canadien[9]. En comparaison avec la plupart des méthodes d'amaigrissement répertoriées dans la littérature scientifique, c'est près de 6 fois plus d'individus qui maintenaient une perte de poids significative après un suivi de 5 à 11 ans!.

Le Guide alimentaire canadien au quotidien

Comme vous le savez peut-être, le Guide alimentaire canadien classe tous les aliments dans un des quatre groupes principaux: les produits céréaliers, les fruits et légumes, les produits laitiers et les viandes et substituts. Un cinquième groupe marginal est constitué des autres aliments qui n'entrent pas dans les quatre principaux groupes: les aliments et boissons à base de sucres ou de gras (ex. beurre, margarine, confitures, miel, bonbons, croustilles, thé, café, alcool, boissons gazeuses, épices et condiments). Il est recommandé de savourer chaque jour une variété d'aliments dans chacun de ces groupes; produits céréaliers, fruits et légumes, produits laitiers, viandes et substituts. La variété, en plus de briser la monotonie, permet d'aller chercher tous les nutriments dont nous avons besoin pour fonctionner efficacement et être en santé.

Les prochaines pages expliquent en détail ce que sont les recommandations du Guide alimentaire canadien et comment les appliquer. Vous trouverez un menu de 5 jours illustrant de façon concrète une alimentation s'inspirant du Guide alimentaire canadien.

LE GUIDE ALIMENTAIRE CANADIEN:
PORTIONS RECOMMANDÉES POUR
CHAQUE GROUPE D'ALIMENTS

Produits céréaliers: **5 à 12 portions par jour**

Légumes et fruits: **5 à 10 portions par jour**

Produits laitiers: **2 à 4 portions par jour (adultes)**
                         3 à 4 portions par jour (femmes enceintes
                         ou allaitant)

Viandes et substituts: **2 à 3 portions par jour**

Qu'est-ce qu'une portion?

Vous avez peut-être sursauté en voyant le nombre de portions à con-sommer tous les jours dans chaque groupe d'aliments. Rassurez-vous, les portions sont souvent plus petites que vous ne le croyez. C'est ce qui explique leur nombre élevé. Par exemple dans les produits céréaliers, une tranche de pain représente 1 portion, mais un bagel, un pita, ou un pain hamburger repré-sentent chacun 2 portions. Dans les fruits et légumes, 1 portion est fournie par un fruit ou un légume de grosseur moyenne ou 1 tasse de salade. Une boîte de jus de fruits ou de légumes équivaut à 2 portions. Dans les produits laitiers, 1 tasse de lait représente 1 portion, de même que 50 g de fromage (l'équivalent de deux tranches de fromage fondu) ou $^3/_4$ de tasse de yogourt. Pour les viandes et substituts, 1 portion est fournie par 50 g de viande ou de poisson (ex. $^1/_3$ de boîte de thon), 125 g de légumineuses ($^1/_2$ tasse), 1 œuf, ou 2 c. à table de beurre d'arachides.

Combien de portions dois-je manger dans chaque groupe d'aliments?

Les gens, selon leur âge et leur niveau d'activité physique, ont des besoins différents. Si vous consommez le plus petit nombre de portions proposées dans chaque groupe par le Guide Alimentaire Canadien et limitez votre consommation en gras, cela correspond environ à 1600 calories par jour. Si vous choisissez le nombre le plus élevé de portions dans chaque groupe d'aliments ce nombre monte à environ 2800 calories par jour. Ainsi, vous pouvez adapter le nombre de portions à vos besoins spécifiques et celui du reste de votre famille. En général, on peut dire que le plus petit nombre de portions correspond à la consommation d'une femme sédentaire de poids normal. Plus on est lourd plus on brûle de l'énergie. Il est donc normal pour une femme pesant 215 lb (98 kg) désirant maigrir, de consommer davantage de calories qu'une autre de même taille qui n'en pèse que 160 (73 kg).

Une fois que vous aurez déterminé le nombre de portions dont vous avez besoin pour perdre du poids, il sera important de le respecter. Ne coupez pas les portions pour maigrir plus vite.

EN TOUT TEMPS, NE CONSOMMEZ PAS MOINS DE
1200 CALORIES PAR JOUR.

EN DESSOUS DE CETTE LIMITE, VOUS NE SEREZ PAS RASSASIÉ ET NE CONSOMMEREZ PLUS TOUS LES NUTRIMENTS DONT VOUS AVEZ BESOIN POUR ÊTRE EN SANTÉ.

Voyons maintenant chacun des groupes alimentaires, et comment ils peuvent vous aider à atteindre votre poids-santé.

Les pains et produits céréaliers (minimum 5 portions)

La majeure partie de votre alimentation devrait être constituée de produits céréaliers (pain, bagel, pita, riz, pâtes alimentaires, semoule de blé, céréales et autres). Il s'agit là, à mon avis, de la pierre angulaire de cette alimentation. Ces aliments sont faibles en gras et très nourrissants. Ils contiennent aussi des fibres, qui en plus d'abaisser l'indice glycémique du repas, aident à l'élimination, et ont un effet rassasiant. Ainsi, si l'on mange beaucoup de produits céréaliers à grains entiers, on consomme peu de gras et on a n'a pas faim. Ce groupe d'aliments fournit aussi l'énergie nécessaire au bon fonctionnement de notre organisme. Pour avoir de l'énergie, il faut consommer de l'énergie! Des études montrent que la majorité des Nord-Américains ne consomment pas assez de produits céréaliers, surtout en ce qui a trait aux produits à grains entiers. Malheureusement, de nombreuses personnes croient encore, à tort, que les aliments riches en amidon font prendre du poids. Ils se privent ainsi d'un excellent outil leur permettant au contraire, de faciliter le contrôle de leur poids. Choisissez de préférence des produits à grains entiers. Les produits céréaliers à grains entiers (blé, avoine, orge, seigle, ou autres) sont préférables parce qu'ils sont riches en amidon *et* en fibres. Ils ont aussi un faible indice glycémique.

Un mot sur les fibres

Il existe deux types de fibres; les fibres *solubles dans l'eau* présentes dans certains fruits (ex. pomme), les légumineuses (lentilles, pois chiches, haricots rouges, etc.) l'orge, le seigle et l'avoine, et les fibres *non solubles dans l'eau* telles celles contenues dans le blé entier, les légumes et les fruits.

Les fibres solubles dans l'eau abaissent le cholestérol et ralentissent l'absorption des sucres. Ce processus peut aider à normaliser le taux de sucre des personnes diabétiques[10]. Quant aux fibres non solubles, elles favorisent une élimination intestinale normale, ce qui aiderait à prévenir l'apparition du cancer du côlon.

Comme ces deux types de fibres proviennent de sources différentes, il est important de choisir une variété d'aliments riches en fibres afin de profiter de leurs bienfaits respectifs sur la santé.

Les fruits et légumes (minimum 5 portions)

Certaines personnes, pour maigrir plus rapidement, vont consommer plus de fruits et légumes que de produits céréaliers. Ne le faites pas! Vous vous sentiriez éventuellement faible et sans énergie, car les fruits et légumes ne sont pas aussi riches en amidon et en protéines que les produits céréaliers. Ces derniers nutriments sont nécessaires pour vous donner de l'énergie et pour maintenir vos muscles et organes en santé. N'oubliez pas, il faut respecter les portions indiquées.

Les quatre groupes d'aliments fournissent les nutriments dont notre corps a besoin pour être en santé. Manger une variété d'aliments dans chaque groupe nous permet d'aller chercher des nutriments différents.

Une diète riche en fruits et légumes est associée à une plus faible incidence de cancer[20]. Hélas, selon une étude portant sur 11 000 Américains, seulement 10% consommeraient le nombre de portions de fruits et légumes recommandées, soit au moins 5 portions par jour. Des travaux montrent qu'aux États-Unis, la consommation moyenne de fruits et de légumes est de 3,5 portions par jour[22] (au lieu des 5 à 10 portions recommandées). Cette consommation varie d'une région à l'autre. Les habitants du Vermont par exemple, consomment en moyenne 1,9 portion de fruits et légumes par jour. Or la fréquence des cancers du colon et du sein y est particulièrement élevée[12]. Le légume consommé en plus grande quantité aux États-Unis est la pomme de terre, le plus souvent sous forme de frites!

Choisissez plus souvent des légumes verts foncés ou oranges et des fruits oranges. La couleur foncée de certains fruits et légumes, indique qu'ils sont plus riches en nutriments[2]. Par exemple, les poivrons rouges contiennent deux fois plus de vitamine C que les poivrons verts et neuf fois plus de carotène, un puissant antioxydant. Les antioxydants vous protègent des effets néfastes des radicaux libres, des composés associés à l'apparition de cancers. Même chose pour les pamplemousses. Les pamplemousses roses contiennent beaucoup plus de lycopènes (d'autres antioxydants) que les pamplemousses blancs.

Un truc: assurez-vous de garnir votre assiette d'aliments d'au moins **quatre couleurs** différentes.

Lait et produits laitiers (minimum 2 portions par jour)

Beaucoup d'adultes ne consomment pas le nombre recommandé de portions provenant du groupe des produits laitiers[8]. Les jeunes femmes de 18 à 30 ans, en particulier, en consommeraient une quantité insuffisante de crainte de prendre du poids. Vous constaterez en lisant les prochaines lignes qu'il peut être avantageux de consommer le nombre indiqué de portions de lait et produits laitiers lorsqu'on veut perdre du poids. *Choisissez de préférence des produits laitiers moins gras.* Certains produits laitiers fournissent moins de gras et de calories que les produits réguliers, mais fournissent autant de protéines de haute qualité et de calcium.

Le lait, un allié dans la perte de poids

Le lait et les produits laitiers seraient des alliés intéressants dans la lutte contre les kilos[23,28,29]. L'équipe du Dr Dorothy Teegarden de l'Université Purdue aux É.-U. a démontré chez des femmes de 18 à 31 ans qu'une alimentation riche en calcium (au moins 1000 mg de calcium par jour) avait un effet amaigrissant chez certaines femmes. L'étude d'une durée de 2 ans, a aussi révélé que les effets étaient plus marqués chez les femmes dont la source de calcium provenait surtout du lait et des produits laitiers (yogourt et fromage) plutôt que d'autres sources (suppléments alimentaires, légumes de couleur vert foncé, noix et fèves). Cet effet du calcium sur le poids a pu être observé tant chez les femmes physiquement actives que chez les sédentaires.

...Un allié aussi dans le traitement de l'hypertension

Bon nombre de personnes qui ont un surplus de poids font aussi de l'hypertension artérielle. Les résultats de l'étude suivante risquent de les intéresser. En effet, des chercheurs norvégiens et australiens ont récemment constaté que plus les individus consommaient une diète riche en calcium provenant de produits laitiers, moins leur pression artérielle était élevée[14].

Les produits laitiers fermentés abaisseraient le cholestérol

Des travaux récents indiquent que les produits laitiers fermentés (ex. yogourt, kéfir, et autres boissons à base de produits laitiers fermentés, etc.) abaisseraient le cholestérol sanguin. La consommation de ces produits augmenterait la présence de certaines bactéries (ex. acidophilus et bifidus) dans le gros intestin. Ce sont ces bactéries qui, indirectement, abaisseraient le cholestérol[21]. Toutefois, comme ce type de bactéries ne vivent qu'un court moment dans l'intestin, il est nécessaire de consommer régulièrement ces produits laitiers fermentés pour en retirer tous les bienfaits.

Intolérance au lactose

Les individus souffrant d'intolérance au lactose se voient souvent prescrire des gouttes ou des comprimés de lactase (substance permettant de digérer le lactose). De récents travaux pourront peut-être bientôt changer le cours de cette pratique. En effet, une étude faite auprès de jeunes femmes présentant une intolérance au lactose, a montré sans équivoque, que le fait de consommer une alimentation riche en produits laitiers (lait régulier, fromage, yogourt) avait pour effet d'habituer l'organisme à digérer le lactose[18]. Après 21 jours, les symptômes d'intolérance avaient disparu. Les chercheurs ont émis l'hypothèse que cette tolérance accrue résultait d'une adaptation de la flore microbienne du côlon en réponse à un apport régulier en lactose.

Ménopause et calcium

Avec l'âge, notre capacité à absorber le calcium diminue. La baisse d'estrogène observée à la ménopause intensifie ce phénomène[13]. De récents travaux montrent que les femmes consommant une alimentation riche en fibres et faible en gras absorbent significativement *moins* de calcium (19%) que celles dont le ratio gras/fibres était plus élevé[27]. Avec la ménopause, une alimentation équilibrée contenant entre 25 et 30% de lipides (tel que recommandé par le Guide alimentaire canadien) et suffisamment de produits laitiers riches en calcium revêt donc une importance particulière.

Les viandes et substituts (minimum 2 portions par jour)

Enfin, des quatre principaux groupes, celui des viandes et substituts représente le plus petit nombre de portions. La plupart des gens mangent plus de viande que nécessaire. La viande est une source de protéines de très haute qualité. Ainsi, une petite quantité suffit amplement. De cette façon, en limitant votre consommation de viande, vous limitez du même coup votre consommation de gras, en particulier de gras saturés (associés aux maladies cardio-vasculaires).

Une bonne habitude à prendre est d'inclure des repas à base de légumineuses au cours de votre semaine (lentilles, pois chiches, haricots noirs, rouges ou blancs, etc.). Une portion remplace la viande et contient autant de protéines, presque aucun gras et beaucoup de fibres. Cependant si vous aimez la viande, ne vous privez pas outre mesure. Il n'est pas nécessaire d'être végétarien pour perdre du poids. Choisissez simplement des coupes plus maigres et suivez les suggestions du Guide, que vous trouverez un peu plus loin. *Choisis-*

sez de préférence viandes, volailles, plus maigres et légumineuses. Une grande variété de viandes, volailles, sont maigres et permettent de manger moins gras sans se priver de nutriments importants. Prenez le temps de les dégraisser avant et après la cuisson. Cuisez-les au four, au gril, à la vapeur ou aux micro-ondes plutôt que de les frire. Vous pouvez aussi choisir des plats à base de lé-gumineuses telles les fèves au lard, la soupe aux pois ou une casserole de lentilles. Vous mangerez ainsi moins gras tout en augmentant votre consomma-tion d'amidon et de fibres alimentaires.

Ne limitez toutefois pas votre consommation de poissons gras (ex. le thon, le saumon, le maquereau et les sardines) car le fait de consommer au moins deux portions de 85 g de ce type de poisson chaque semaine, permet de réduire les risques de développer un problème cardiaque. La A.H.A (American Heart Association), fait déjà la promotion de cette recommandation auprès de la population.

Les autres aliments et boissons qui ne font pas partie des quatre groupes alimentaires peuvent aussi apporter saveur et plaisir.

Certains de ces aliments ont une teneur plus élevée en gras ou en éner-gie. Consommez-les avec modération. De récents travaux viennent de révéler que si vous avez une rage de sucre, vous feriez mieux de consommer un aliment riche en sucre solide (ex. bonbon), plutôt qu'un aliment sucré liquide (ex. boisson gazeuse). Des chercheurs ont inclus pendant plusieurs semaines dans la diète de leurs sujets, soit des bonbons (dans ce cas-ci des jelly beans), soit des bois-sons gazeuses[5].

Les résultats ont montré que l'organisme des sujets avait parfaitement compensé pour les calories ingérées sous forme solide, mais pas pour les calo-ries sous forme liquide. En d'autres mots, les gens ont mangé moins durant les journées où ils consommaient des bonbons, mais non lorsqu'ils buvaient des boissons gazeuses. Résultats: les sujets n'ont pris du poids que durant la phase où ils ont bu des boissons gazeuses. Les gens qui consomment des quantités importantes de liquides sucrés auraient donc davantage de risques de faire de l'embonpoint.

79

Votre consommation de gras

Outre les recommandations concernant le nombre de portions dans chacun des quatre groupes alimentaires, le Guide alimentaire canadien suggère de réduire sa consommation de gras, de sorte qu'elle ne dépasse pas 30% du nombre total de calories quotidiennes. Nous avons tous besoin de consommer du gras, cependant, la plupart des gens en mangent trop. Il est possible de réduire notre consommation de gras en mangeant davantage de produits céréaliers, de légumes, de fruits et de légumineuses. Il est aussi possible de choisir des produits laitiers, viandes, volailles et poissons qui sont plus maigres. Chacun des groupes comprend des aliments qui contiennent des matières grasses. Il s'agit de choisir chaque jour, des aliments moins gras dans chacun des groupes

Quantité de lipides représentant 30% des calories quotidiennes

Besoins énergétiques	Gras (lipides)
1600 calories	53 g
2200 calories	73 g
2800 calories	93 g

La majorité d'entre nous connaissons ces recommandations alimentaires mais il semble que nous ayons de la difficulté à mettre en pratique nos bonnes intentions.

Voici quelques trucs pour manger moins gras*:

- Tartinez moins de beurre ou de margarine sur le pain ou les bagels
- Mettez moins de vinaigrette dans vos salades ou choisissez en une à teneur réduite en matières grasses

- Découvrez le goût des légumes nature ou légèrement assaisonnés
- Utilisez des produits laitiers écrémés ou partiellement écrémés dans vos recettes
- Cuisez de préférence au four, à la vapeur, ou aux micro-ondes. Mangez moins souvent des aliments frits
- Servez des viandes, volailles et poissons avec des sauces à base de bouillon dégraissé ou de légumes
- N'abusez pas de croustilles ou de chocolat

*Tiré du *Guide alimentaire canadien pour manger sainement.*

Pour maigrir, diminuez légèrement votre consommation de gras

Nous avons vu que le corps tolérait des écarts entre la quantité de gras qu'il consomme et celle qu'il dépense[6,7,24]. Ce phénomène présente un inconvénient majeur. En effet, si vous consommez une alimentation riche en gras, votre corps ne cherchera plus à combattre ce surplus d'énergie. Il ne s'opposera plus à ce déséquilibre et laissera s'accumuler un surplus de graisse (élévation de la consigne).

La bonne nouvelle, c'est qu'il est possible de tourner ce mécanisme à notre avantage. En effet, l'organisme pouvant tolérer chroniquement un certain déséquilibre entre le gras qu'il consomme et le gras qu'il brûle, il est possible d'inverser ce même phénomène pour perdre du poids. Ainsi, si l'on crée chez notre organisme un *léger* déficit en réduisant quelque peu notre consommation de gras, il ne s'opposera pas à ce déséquilibre[6]. De cette façon, vous perdrez progressivement du poids.

81

Pourquoi est-il important de manger toutes les portions indiquées par le Guide?

Pour plusieurs raisons. La première est que ces portions fournissent tous les nutriments dont votre corps a besoin pour fonctionner normalement et être en bonne santé. En étant bien nourri, votre organisme va aussi brûler davantage de calories. Votre métabolisme demeurera ainsi plus actif ce qui limitera les risques de regagner le poids perdu lorsque vous aurez atteint votre poids-santé. Enfin, vous serez davantage rassasié par votre alimentation.

Entrevue avec Martine Beaumont, Dt. P.

Dans cette entrevue, Martine Beaumont, diététiste, explique comment elle s'y prend pour aider les gens qui désirent perdre du poids. Mme Beaumont est consultante en pratique privée. Elle travaille auprès d'une clientèle diversifiée ainsi que pour l'Association du Diabète de sa région.

Q. Voyez-vous des différences entre les motivations des hommes et des femmes pour maigrir?

R. *Oui. Les hommes consultent davantage lorsqu'on a découvert chez eux un problème de santé associé à l'embonpoint. Par exemple, ils me consultent parce que leur médecin vient de leur apprendre qu'ils souffrent d'hypertension ou de diabète et qu'ils doivent* *maintenant perdre du poids. Les femmes sont surtout motivées par la dimension esthétique et la prévention de ces problèmes de santé.*

Q. Comment participez-vous au processus d'amaigrissement de votre clientèle?

R. *Dès le départ, quand une personne vient me consulter pour perdre du poids, je parle de l'importance du maintien de la perte de poids et que ce maintien implique qu'elle fasse des changements permanents dans son alimentation. Je lui dis alors qu'il n'y a pas d'urgence à maigrir. Plus la perte de poids se fait en douceur, plus on s'assure d'un maintien à long terme. De plus, l'objectif d'atteindre un corps «idéal» peut être extrêmement décourageant. Même l'Indice de Masse Corporelle, un outil reconnu pour évaluer le surplus de poids, peut décourager une personne qui a beaucoup de poids à perdre. Pour ces gens, je suggère d'envisager d'abord une perte de poids de 5% à 10% de leur poids actuel et je leur explique que cette perte de poids peut améliorer significativement leur état de santé. Il n'est pas nécessaire ni avantageux pour tous d'atteindre ce fameux poids-santé, considérant le fait qu'une reprise de poids peut être nuisible pour la santé.*

La majeure partie de la première consultation consiste à prendre connaissance des habitudes alimentaires actuelles de mon client. Je prends donc le temps de le questionner sur ce qu'il mange généralement dans une journée, les aliments qu'il préfère et ceux qu'il n'aime pas. Je cherche aussi à savoir s'il escamote des repas, s'il mange rapidement ou s'il mange souvent au restaurant, etc. Bref, je cherche à brosser un tableau relativement précis de l'ensemble des habitudes alimentaires de mon client. Il devient donc plus facile de cerner les aspects problématiques de son alimentation et de suggérer des alternatives plus saines. De plus, du simple fait de discuter avec lui et de prendre le temps de l'écouter, le client réalise souvent de lui-même que certaines habitudes pourraient être améliorées et envisage certains moyens pour y arriver.

Ensuite, je m'assure que la personne connaît bien les bases d'une alimentation équilibrée. Je me sers du Guide alimentaire canadien comme outil de base pour montrer les divers groupes d'aliments, les quantités que représente une portion et le nombre de portions recommandées pour chacun des groupes alimentaires. Pour les individus qui veulent pousser plus loin leurs connaissances, j'explique d'où proviennent les calories: glucides, protéines et gras et la proportion que devraient prendre ces divers nutriments dans une alimentation équilibrée. Ainsi, idéalement leur consommation de gras ne devrait pas dépasser 30% de l'apport total de leurs calories, les glucides (ou hydrates de carbone) devraient représenter au moins 50 % de leur apport énergétique et les protéines, environ 15%. Je précise qu'une façon efficace de réduire la quantité de calories ingérées au cours d'une journée est de réduire sa consommation de gras. Il s'agit d'une forme condensée d'énergie, donc même en coupant une petite quantité de gras de notre alimentation, on réduit significativement notre apport énergétique.

Q. **Comment vos clients réagissent-ils aux recommandations du Guide alimentaire canadien?**

R. *La plupart de mes clients sont surpris de constater la quantité de produits céréaliers qu'ils doivent manger tous les jours. Les portions recommandées varient de 5 à 12 par jour, selon le sexe, l'âge et le niveau d'activité. Bon nombre d'entre eux sont encore habités par le mythe que le pain et les pâtes alimentaires font prendre du poids. De réaliser qu'il y a moins de calories dans une tranche de pain que dans un verre de 8 oz de jus de fruits en surprend beaucoup. Aussi, ils constatent souvent qu'ils ne consomment pas le nombre minimum de portions recommandées pour le groupe de fruits et légumes, soit un minimum de 5 portions par jour. Je remarque aussi que beaucoup d'adultes n'aiment pas boire du lait. Je m'applique donc à les encourager à en consommer ou à choisir d'autres produits laitiers afin qu'ils consomment tous les jours, au moins les deux portions minimales recommandées.*

Pour ce qui est de la viande, je leur montre ce qu'est une portion au sens du Guide alimentaire. Plusieurs constatent alors qu'ils mangent plus de viande que nécessaire. Enfin, la dernière version du Guide alimentaire canadien inclut un cinquième groupe alimentaire qui regroupe les autres aliments, soit les aliments riches en gras, ou en sucre comme les chips, le chocolat, les boissons gazeuses. Ces aliments sont pour la plupart riches en calories et apportent peu de nutriments. Toutefois, comme ils ajoutent de l'agrément au menu de la plupart des gens, je crois qu'il est important de leur accorder une place dans l'alimentation. Pendant une démarche d'amaigrissement, je ne suggère pas d'éliminer complètement ce groupe d'aliments mais plutôt de les consommer moins fréquemment ou en moins grande quantité. Après quelque temps, je demande à mes clients s'ils se sentent à l'aise avec les nouveaux changements de leur alimentation. Je m'informe pour savoir s'ils trouvent réaliste de poursuivre ce type d'alimentation à long terme. Je leur demande aussi s'ils arrivent à respecter leur faim et leurs goûts la plupart du temps.

Q. Avez-vous recours à certains trucs pour faciliter l'application de vos recommandations alimentaires?

R. *Je cherche à mettre en lumière la relation que la personne entretient avec la nourriture. Certaines personnes mangent en réaction à des éléments stressants de leur vie ou compensent certains besoins par de la nourriture; contrariété, ennui, etc. J'essaie aussi de les aider à prendre contact avec leur corps pour qu'ils apprennent à écouter certains signaux qu'il leur envoie. L'écoute de la faim physique permet de faire la différence entre un sensation de faim réelle et la simple envie de manger qu'il nous arrive parfois de ressentir. Elle permet aussi de vérifier si on a assez mangé ou si on a encore faim. À mon avis, il est plus important que quelqu'un apprenne à se fier à ses signaux de satiété qu'à des quantités fixes d'aliments à consommer. En ce sens, il est préférable que son repère soit interne, plutôt que gouverné par l'extérieur.*

Tout comme les gens devraient apprendre à ne pas manger lorsqu'ils n'ont pas faim, ils doivent aussi apprendre à ne pas combattre la faim lorsqu'ils la ressentent. Il arrive fréquemment que mes clients qui veulent maigrir, particulièrement les femmes, voient la faim comme une occasion d'exercer un contrôle sur leur corps. Elles veulent maigrir et maigrir vite. Résister à leur faim en ne mangeant pas, représente pour elles une façon d'atteindre leur objectif. Elles vont par exemple sauter leur déjeuner et manger une salade au dîner. Par contre en fin de journée, elles ne tiennent plus le coup et vont compenser en mangeant beaucoup avant le souper et en soirée, avec un sentiment de culpabilité. Elles finissent souvent par consommer plus de calories de cette manière que si elles avaient mangé trois repas équilibrés durant la journée. Nous devons montrer aux gens à interpréter les messages de leur corps et à y répondre de façon appropriée. Il arrive qu'ils refusent de faire confiance à leur corps.

J'explique régulièrement le fonctionnement du cercle vicieux des régimes amaigrissants. Ce cercle vicieux commence par un régime faible en calories, qui tôt ou tard engendre un sentiment de privation. Ce sentiment de privation est ensuite suivi d'une période de délinquance où la personne décroche complètement de sa diète. Cette situation éveille à son tour un sentiment de culpabilité. Plus le sentiment de culpabilité est grand, plus grande sera l'urgence de maigrir, et plus la personne voudra restreindre les calories qu'elle ingère. Évidemment, plus la diète sera sévère, plus grand sera le sentiment de privation qui en découlera et ainsi de suite. En plus d'engendrer des effets psychologiques néfastes, ce cercle vicieux induit des changements métaboliques qui rendent l'amaigrissement de plus en plus difficile.

À mon avis, la clé est d'adopter une alimentation qui nous permette de ne pas nous sentir au régime. On ne doit pas avoir l'impression de sacrifier sa qualité de vie en mangeant de cette façon. Si le sentiment de privation est là, tôt ou tard, la personne va décrocher. Les changements dans l'alimentation doivent être modérés pour pouvoir être maintenus à long terme. Cette démarche ne promet pas de miracles et comporte certaines exigences, c'est pourquoi la notion de temps est très importante dans le processus d'amaigrissement. Il faut se laisser du temps de renoncer à certains aliments ou certaines portions d'aliments et aussi se laisser le temps de perdre certaines habitudes pour les remplacer par d'autres plus saines. Comme je le disais plus tôt, il n'y a pas d'urgence à maigrir. Une perte de poids efficace nécessite des changements permanents et tout changement dans les habitudes de vie prend du temps. Mieux connaître ses besoins nutritionnels ainsi que la valeur nutritive des aliments, apprendre à respecter ses besoins, mieux connaître sa relation à la nourriture dans le but de l'améliorer, voilà ce que les gens peuvent retirer de cette démarche.

Q. **Vos clients diabétiques peuvent-ils suivre les recommandations du Guide alimentaire canadien?**

R. *Oui, et je les encourage à le faire. Quelques modifications doivent être apportées, comme de considérer les pommes de terre comme des féculents et les incorporer dans le groupe des pains et produits céréaliers plutôt que dans les légumes, par exemple. Concernant les produits laitiers, ces individus doivent être informés que le lait et le yogourt contiennent des glucides, alors que le fromage n'en contient pas ou presque pas. Ils doivent aussi consommer des quantités plus précises d'aliments qui contiennent des sucres. Certains aliments très sucrés doivent donc être limités. La quantité de viande et substituts reste la même, soit deux à trois portions par jour.*

Q. **Vous arrive-t-il d'aider des adolescents qui veulent perdre du poids?**

R. *Oui. Toutefois je crois qu'il est préférable de les aider à améliorer leurs habitudes alimentaires graduellement plutôt que de leur suggérer d'entreprendre un régime amaigrissant à proprement parler. Je m'assure qu'ils soient bien au courant des effets néfastes d'une perte de poids rapide et du cercle vicieux des régimes amaigrissants. Je tente de les convaincre de ne pas s'y engager. C'est d'autant plus important à cet âge car ils risquent de vivre une succession de pertes et de gains de poids, ce qui n'est pas souhaitable. Il faut aussi s'assurer que les changements qu'ils feront ne viendront pas entraver leur croissance par des modifications trop importantes. En optant pour des habitudes de vie plus saines, il est* *fort probable qu'un adolescent souffrant d'embonpoint perde du poids naturellement.*

Q. Une approche de groupe pour la perte de poids est-elle plus ou moins efficace qu'une approche individualisée?

R. *Une approche individualisée constitue un atout important car chaque individu a des besoins et des habitudes qui lui sont propres. L'approche individuelle permet donc d'identifier les caractéristiques spécifiques de la personne et de travailler à partir d'objectifs propres à cette personne. Le climat de confiance, l'ouverture et le dialogue favorisent aussi une meilleure connaissance de soi. Cependant, les programmes basés sur une approche de groupe peuvent offrir un soutien précieux si l'individu s'y sent en confiance et peut s'ouvrir aux autres. Pour certaines personnes, le groupe peut aussi représenter un élément supplémentaire de motivation. Il s'agit donc d'une question de préférence personnelle et une approche n'exclut pas l'autre.*

Comment adopter une alimentation saine et équilibrée en 4 étapes

Étape 1: Faites l'inventaire

Produits céréaliers

Faites l'inventaire de toutes les farines, les pains, muffins, pâtes alimentaires, couscous, riz et céréales pour le déjeuner qui se trouvent dans votre cuisine. Placez le tout sur votre table. En principe, de tous les groupes d'aliments, c'est celui-ci qui devrait prendre le plus d'espace sur votre table.

Prenez en note le type de pain que vous avez devant vous (pain blanc, blé entier, seigle, à l'avoine, au levain, multi-grains, au raisins, pain pita, bagel, muffins anglais, etc.). Notez aussi s'il s'agit de produits à base de grains entiers ou non.

Dans ce nouveau mode d'alimentation, variété et quantité des produits céréaliers sont primordiales. Ajoutez au moins deux nouvelles sortes de produits céréaliers à votre liste d'épicerie, dont au moins une à grains entiers.

Si vous réalisez que la plupart des céréales pour déjeuner que vous avez dans votre garde-manger sont du type riches en sucre ajouté, achetez lors de vos prochaines emplettes au moins une sorte à base de grains entiers et faible en sucre.

Comme les produits céréaliers doivent maintenant être la base de votre alimentation, planifiez vos repas autour de ces aliments au lieu de les garder comme simples accompagnements.

Exemples de repas à base de produits céréaliers

- plat de riz accompagné de légumes et d'une portion de viande d'environ 50g
- sandwichs faits à partir de pains variés
- croquettes de millet et sauce au curry et légumes
- plats de pâtes servies avec des sauces à base de tomates, pesto (sauce à base de basilic et ail), crème sure faible en gras et autres
- crêpes au jambon et fromage
- pizza garnie de légumes
- couscous aux légumes avec boulettes de viande maigre (veau, porc, bœuf maigre, etc.)

Fruits et les légumes

Sortez tous les fruits et légumes que vous avez à la maison. Les fruits et légumes frais que vous avez au réfrigérateur, mais aussi ceux qui sont congelés, en conserve, en pot ou séchés. Avez-vous une bonne sélection de produits frais? Avez-vous, en tout, au moins 3 ou 4 sortes de fruits différents? 3 ou 4 sortes de légumes? Vos fruits en conserve baignent-ils dans du jus ou plutôt du sirop? La compote de pommes est-elle additionnée de sucre? Écrivez tout cela. Ces notes vous aideront à savoir quels changements vous pouvez apporter à votre consommation de fruits et légumes.

«Plus grande sera votre sélection de fruits et légumes appétissants, plus vous aurez envie d'en manger.»

- Souvenez-vous: optez pour la couleur! En plus d'être agréables à l'œil, les fruits et légumes *rouges ou orangés* stimulent notre système immunitaire et contribuent à réduire les risques de maladies cardiovasculaires et de certains cancers[19]. Faites donc provision de poivrons rouges, tomates, choux rouges, patates douces, carottes, cantaloups, abricots, mangues et autres fruits et légumes rouges ou orangés.

- Ajoutez à votre liste d'épicerie au moins une sorte de fruits et au moins un légume que vous n'avez pas mangés depuis longtemps.

- Choisissez les fruits et légumes de saison, ils seront moins coûteux.

- Mangez des fruits en dessert ou en collation, ajoutez-en dans vos recettes de desserts, muffins et gâteau mais aussi dans vos plats de viande (*ex. porc aux rondelles de pommes, bœuf aux pruneaux*).

- Si vous achetez des fruits en conserve, choisissez plutôt ceux qui sont dans leur jus, plutôt que dans un sirop.

- Mangez au moins une portion de légumes à chaque repas. Ils peuvent être crus, sautés, en purée, à la vapeur, au four, ou encore, consommés sous forme de jus.

- Si le temps vous empêche de préparer des légumes pour vos repas, ayez recours aux légumes déjà préparés disponibles à l'épicerie (ex, carottes ou pommes de terre pelées, chou râpé, etc.) ou à des soupes de légumes.

- Ayez toujours une variété de légumes dans votre congélateur. Ils peuvent être rapidement préparés ou ajoutés à vos recettes.

- Mettez des crudités dans vos lunchs. Faites des trempettes de fruits ou de légumes.

Produits laitiers

Retournons à votre réfrigérateur, cette fois pour aller voir vos produits laitiers. Prenez en note le pourcentage de matières grasses contenues dans votre lait (3,25%, 2%, 1%, écrémé), ainsi que dans les fromages, yogourt et autre produits, crème, crème sure, etc.

- Inscrivez sur votre liste d'achats au moins deux produits laitiers réduits en gras. Certaines marques de produits laitiers faibles en gras (surtout dans les fromages et yogourts) sont plus savoureuses que d'autres. Essayez-en plusieurs, vous en trouverez que vous aimerez.

- Pensez à acheter au moins un produit laitier fermenté (yogourt, kéfir, etc.).

Viandes et substituts

Il s'agit bien sûr de la viande rouge, de la volaille, et du poisson, mais aussi des œufs, des légumineuses et des noix. Les pièces de viande que vous avez sous les yeux sont-elles maigres? Mangez-vous 2 ou 3 portions de viande par jour (l'équivalent de deux ou trois paquets de cartes) ou davantage? Comment faites-vous cuire votre viande? Au four, panée, braisée, rôtie, frite, revenue dans du beurre?

- Pour perdre du poids, vous pouvez limiter le nombre de portions de viande que vous mangez tous les jours (ex. 2 portions au lieu de 3) et manger davantage de produits céréaliers, de fruits et de légumes.
- Munissez-vous d'un bon couteau pour pouvoir retirer tous le gras visible des pièces de viande que vous apprêtez.
- Choisissez des coupes de viande plus maigres. Par exemple, prenez l'habitude d'acheter du bœuf haché maigre ou très maigre.
- Chaque fois que vous utilisez un corps gras pour la cuisson de votre viande, essayez d'en limiter la quantité au minimum.
- Achetez du thon ou du saumon mis en boîte dans l'eau plutôt que dans l'huile.
- Un œuf cuit dur représente une portion de viande et contient peu de gras.
- Donnez-vous comme objectif d'inclure à chaque semaine au moins une recette à base de légumineuses.

Un mot sur les repas de type «fast-food».

Vous n'avez pas à bannir à tout jamais ces aliments de votre menu. Il s'agit seulement d'en limiter la quantité car ils sont très riches en gras. Calculez le nombre de repas de type «fast-food» que vous consommez par semaine. Essayez d'en couper 1 ou 2 et remplacez-les par des choix plus santé, que vous soyez au restaurant, au travail, à l'école ou à la maison.

Friandises et grignotines

Faites à nouveau le tour de vos armoires, garde-manger, et réfrigérateur et faites l'inventaire de tous les bonbons, chips et autres grignotines, chocolats, beignes, pâtisseries, biscuits sucrés. Placez tous ces aliments sur votre table ou votre comptoir de cuisine.

- Si vous trouvez la quantité de ces aliments excessive, mettez de côté ce qui vous semble de trop et dont vous pourriez vous passer sans trop de problèmes pour la semaine. Vous pouvez garder cet excédent pour la semaine suivante.
- Placez le reste dans un contenant ou panier quelconque, de telle sorte que vous ayez une idée approximative de la quantité que vous désirez garder dans votre maison.
- Faites la même chose avec les desserts et autres friandises glacées que vous trouverez dans votre congélateur. Sans trop d'effort, vous aurez ainsi diminué votre consommation d'aliments riches en gras et en sucre tout en profitant des petits plaisirs de la vie.

Étape 2: Allez faire votre marché avec votre nouvelle liste

Votre garde-manger est aussi, en quelque sorte, une trousse à outils. Les aliments qui entrent dans votre maison sont autant d'outils pouvant être utiles, inutiles ou même nuisibles à votre projet. En vous procurant les meilleurs outils qui soient, ceux qui seront utiles à votre projet d'amaigrissement, vous augmenterez les chances d'atteindre vos objectifs.

Voilà! Votre panier d'épicerie reflète maintenant votre nouvelle façon de vous alimenter. Il contient surtout des produits céréaliers, beaucoup de fruits et de légumes variés, et des viandes et des produits laitiers plus maigres. Bientôt, vous n'aurez plus besoin d'une telle liste. Vous saurez quels aliments choisir pour retrouver votre poids-santé et le conserver.

Étape 3: Tenez un journal alimentaire

Tenir un journal alimentaire peut être une des meilleures choses que vous puissiez faire pour perdre du poids. En effet, il a été démontré que de prendre en note le type et la quantité d'aliments que vous mangez au cours de la journée est l'un des outils les plus efficaces pour maigrir et maintenir votre perte de poids[3,4,16]. Vous pouvez écrire dans un cahier ou remplir tous les jours une section de «*Mon programme pour la semaine*», (incluse dans «*Vos Outils*» à la fin du livre). Dans le modèle que je propose, je ne prévois pas d'espace pour inscrire le nombre de calories mais simplement un endroit pour écrire en quelques mots le type d'aliments et les portions que vous avez mangées au cours de la journée. J'ai aussi prévu une section où vous pouvez cocher le nombre de portions consommées dans chacun des groupes alimentaires. Remplir cette feuille régulièrement peut vous aider à prendre conscience de votre façon de vous alimenter et des améliorations que vous pouvez apporter. Par exemple, si vous constatez que certaines cases ne sont pas cochées, vous saurez quel groupe alimentaire prioriser à l'avenir.

Étape 4: Recommencez à manger

Il peut être stressant de recommencer à manger «normalement» quand on se prive depuis des années. Si tel est votre cas, vous avez probablement peur de prendre du poids. Comme votre corps vous a souvent déçu, vous avez peut-être perdu confiance en votre capacité à maintenir un poids sain.

Pour retrouver un poids-santé après des années de diètes infructueuses, il vous faut d'abord franchir une étape qui demande du courage: faire la paix avec les aliments. Plusieurs personnes m'ont dit que cette étape avait été la plus difficile à franchir. Elles ressentaient beaucoup d'anxiété à l'idée de commencer à manger normalement. Certaines se disaient par exemple: «Si en me privant constamment et en surveillant étroitement tout ce que je mange, je pèse 92 kg (202 lb), qu'est-ce que ce sera si je mange trois repas réguliers par jour? Ces personnes ne réalisaient pas encore que c'était justement ces comportements de privation qui avaient contribué à leur faire prendre du poids. En décidant de s'engager dans le changement malgré tout, elles ont bravé leur peur. Elles ont recommencé à manger et ont appris à voir les aliments non plus comme des ennemis dont elles devaient se méfier, mais comme des alliés leur permettant d'atteindre leurs objectifs.

Voici quelques exemples d'affirmations ayant favorisé leur réflexion et qui pourront peut-être vous aider, vous aussi, à entamer ce processus de paix:

Manger n'est pas synonyme de grossir.

La nourriture me donne de l'énergie.

La nourriture me rend fort.

Nourrir mon corps lui permet d'être efficace et de brûler des calories.

Manger active mon métabolisme.

En recommençant à nourrir votre corps, vous constaterez à court terme des changements positifs. Vous aurez tout d'abord beaucoup plus d'énergie, puis, vous réaliserez que votre corps ne transforme pas toute cette nourriture en gras. Avec le temps, vous reprendrez confiance en vous-même et en les capacités de votre corps à retrouver un poids sain. Vous constaterez aussi que les mêmes mécanismes qui vous ont fait prendre du poids peuvent être inversés. Vous seul avez le pouvoir de le faire. *Aucun médicament, aucun produit ou diète miracle ne peuvent vous faire perdre du poids et maintenir cette perte de poids à long terme.*

Comment maigrir en mangeant toutes ces portions?

La clé est de choisir le nombre de portions qui *vous* fera maigrir.

Pour perdre du poids, vous devrez consommer moins de calories que ce que vous dépensez tous les jours. Il est important toutefois de ne réduire que modérément les calories afin de ne pas déclencher toute la panoplie des mécanismes compensatoires (ex. ralentissement du métabolisme, fringales incontrôlables, etc.) . Pour savoir combien de calories retrancher de votre alimentation, il faut d'abord savoir combien vous en dépensez tous les jours. Les calculs suivants vous permettent de déterminer votre dépense énergétique quotidienne[15] . Toutes ces étapes ont l'air bien compliquées mais vous verrez, c'est très simple.

Méthode pour calculer votre dépense énergétique*

1. **Calculez d'abord la dépense énergétique au repos de votre organisme**

Veuillez choisir l'équation qui correspond à votre situation:

P.-S.: pour convertir votre poids en kilos, divisez votre poids en livres par 2,17

Femme de 18 à 30 ans	(14,7 x poids en kilos) + 679 calories
Femme de 30 à 60 ans	(8,7 x poids en kilos) + 829 calories
Femme de plus de 60 ans	(10,5 x poids en kilos) + 596 calories
Homme de 18 à 30 ans	(15,3 x poids en kilos) + 679 calories
Homme de 30 à 60 ans	(11,6 x poids en kilos) + 879 calories
Homme de 60 ans et plus	(13,5 x poids en kilos) + 487 calories

Prenons l'exemple de Lucie qui a 34 ans et qui pèse 68 kilos (148 lb). Ses calculs seront les suivants:

8,7 x 68 kilos = 591,6 calories + 829 calories = 1420,6 calories

Ainsi, au repos, son corps brûle **1420,6 calories** par jour

Inscrivez ici votre équation et votre résultat:_____

2. **Déterminez ensuite votre facteur d'activité:**

- Si votre niveau d'activité est très léger (vous restez surtout debout ou assis toute la journée) votre facteur d'activité est de 0,2.

- Si votre niveau d'activité est léger (vous travaillez dans un restaurant ou un atelier, vous vous occupez d'enfants, vous marchez environ 4 km par jour) votre facteur d'activité est de 0,3.

- Si votre niveau d'activité est modéré (vous faites du jardinage, du ménage énergique, du vélo, du ski ou de la danse, restez très peu assis) votre facteur d'activité est de 0,4.

- Si votre niveau d'activité est intense (vous avez un travail très physique tel la construction ou l'excavation, pratiquez des sports à haute intensité) votre facteur d'activité est de 0,5.

Votre facteur d'activité est:_____

3. **Maintenant, multipliez vos besoins énergétiques au repos par votre facteur d'activité**

Exemple: Lucie qui avait une dépense énergétique au repos de 1420,6 calories a un facteur d'activité de 0,3. Donc:1420,6 x 0,3 = 426,18 calories.

Lucie dépense donc **426,18 calories** par l'entremise de son activité physique.

Inscrivez ici votre équation et son résultat:_____

4. Ensuite, déterminez le nombre de calories nécessaires à votre digestion

Pour ce faire, il faut additionner les calories au repos et les calories liées à l'activité physique, puis multiplier le total par 10%.

Dans le cas de Lucie, on peut calculer ceci:

1420,6 + 426,18 = 1846,78 calories x 10% = **184,7 calories** nécessaires à sa digestion

Inscrivez ici votre équation et votre résultat:_____

5. Enfin, additionnez tous vos besoins caloriques

Ce sont les calories du métabolisme de base + les calories liées à l'activité physique + celles nécessaires à la digestion.

Les données de Lucie se présentent comme suit:

1420,6 + 426,18 + 184,7 = 2031,5 calories.

Lucie dépense en moyenne un total de **2032 calories quotidiennement**. Pour maigrir, elle devra donc manger *moins de* 2032 calories par jour.

Inscrivez ici votre équation et son résultat:_____

Méthode adaptée de «Maigrir pour les nuls» de Jane kirby, Sybex, 2000.

Vous savez maintenant combien de calories votre corps utilise tous les jours. Pour maigrir, il vous faudra manger moins que ce nombre total de calories. Mais attention, ne faites pas l'erreur de trop réduire les calories. Il est préférable de ne pas les couper de plus de 20%. Si votre perte de poids est trop rapide, vous risquez de reprendre le poids perdu car vous n'aurez pas pris le temps d'abaisser votre consigne. Dans le cas de Lucie, une réduction de 20% des calories qu'elle consomme équivaut environ à 400 calories. Pour maigrir, elle doit donc consommer environ 1632 calories à tous les jours (2032 calories – 400 calories). À ce rythme, elle perdra progressivement environ 9 kilos (20 lb) en 6 mois.

Si vous trouvez que 6 mois c'est trop long pour perdre 9 kilos, faites ce petit exercice. Essayez de vous souvenir du moment dans votre vie où vous avez commencé à vouloir maigrir. Allez-y! Vos premiers efforts d'amaigrissement datent-ils de votre enfance, de votre adolescence? de votre mariage peut-être? ou encore de la naissance de votre premier enfant? Calculez maintenant le nombre d'années qui se sont écoulées depuis ce jour. Cela fait-il 7 ans que vous essayez de maigrir? 12 ans? 27 ans? ou encore 40 ans?

Toutes ces années ont été passées à *lutter contre votre consigne*.

Maintenant que vous connaissez la *Loi de la consigne*, vous pouvez adopter une stratégie qui sera réellement efficace. Gardez aussi en tête le deuxième principe: «Déterminez un objectif de perte de poids réalisable». Pour réussir, votre objectif se doit d'être réaliste en terme de poids à perdre, mais aussi en terme de temps pour perdre ce poids. Rappelez-vous que pour maigrir pour de bon, il ne faut pas déjouer votre consigne, il faut l'abaisser et cela ne peut se faire que progressivement.

Qu'est-ce que 6 mois, 1 an ou même 2 ans pour finalement atteindre votre poids-santé? Une perte de poids lente et progressive a toutes les chances d'être maintenue à long terme.

Votre menu basé sur les recommandations du Guide alimentaire canadien

Le menu type présenté dans les prochaines pages et les recettes correspondantes vous aideront à intégrer les recommandations du Guide alimentaire canadien dans votre vie. Une fois que cette alimentation vous sera familière (portions, divers groupes alimentaires, variétés d'aliments, etc.) vous n'aurez plus de difficultés à faire vos propres menus.

Calcul de vos portions quotidiennes

Les prochains tableaux illustrent le nombre de portions requises selon trois niveaux caloriques: 1600, 2200 et 2800 calories. Ce tableau met en évidence un menu de base adaptable aux différents besoins caloriques des membres de la famille. Vous constaterez que ceux qui ont des besoins plus importants (ex. adolescents, individus physiquement très actifs) prennent un nombre de portions plus élevé aux repas et complètent avec des collations et des desserts simples à préparer. *Certaines femmes, soit en raison de leur petite taille, de leur faible niveau d'activité ou pour d'autres raisons, ont une faible dépense énergétique. Elles auront donc besoin de consommer moins de 1600 calories par jour pour maigrir.* Pour ce faire, à partir des menus à 1600 calories présentés dans les pages qui suivent, elles pourront couper une portion de produits céréaliers, ainsi qu'une once (30 g) de viandes et substituts.

Trois catégories de menus:

1600 calories par jour

Ce niveau correspond aux besoins alimentaires de la majorité des enfants, des femmes sédentaires ainsi que des femmes âgées. Il est à noter que ce niveau de calories ne couvre pas les besoins en vitamine E et en zinc des femmes actives de 25 à 50 ans. La vitamine E étant présente dans les lipides, sa faible présence dans le menu à 1 600 calories s'explique par le faible contenu en gras de cette diète (moins de 30%). *Un supplément vitaminique peut donc être utile chez ces personnes.*

2200 calories par jour

Ce menu répond aux besoins des adolescentes, des femmes adultes actives et des femmes enceintes ou allaitant, ainsi que des hommes sédentaires de 25 ans et plus. Toutefois, pour répondre aux besoins accrus en calcium des adolescentes et des femmes enceintes ou allaitant, il leur est recommandé de consommer 3 portions de produits laitiers par jour sous forme de lait, de yogourt ou de fromage plutôt que les deux portions suggérées dans le menu à 2200 calories.

2800 calories par jour

Les hommes physiquement très actifs, ainsi que les adolescents ont besoin d'environ 2800 calories par jour. Cette diète comprend 3 portions de produits laitiers, permettant de suppléer aux besoins accrus en calcium des adolescents.

Note: L'utilisation du pain blanc n'est évidemment pas obligatoire. Les diététistes qui ont préparé ces menus le suggèrent simplement pour entamer en douceur des modifications dans vos habitudes alimentaires. *Dès que vous le pouvez*, remplacez le pain blanc par du pain de blé entier. Pour ces menus elles ont aussi privilégié la margarine, mais elle peut être remplacée par du beurre, sachant qu'il contient toutefois davantage de cholestérol.

Menus pour 5 jours à 1600 calories

	Jour 1	Jour 2	Jour 3	Jour 4	Jour 5
DÉJEUNER	Jus d'orange . . . $^3/_4$ t Gruau. . . . . $^1/_2$ t Pain blanc grillé . . . . 1 tranche Margarine. 1 c. à thé Gelée. . . . 1 c. à thé Lait écrémé . . . . $^1/_2$ t	Jus de pamplemousse. $^3/_4$ t * Pita du déjeuner 1 sandwich Lait écrémé. . . . . .1 t	Pamplemousse . . $^1/_2$ Céréales prêtes-à-servir. .1 oz Muffin anglais avec raisins grillé. . . . . $^1/_2$ Gelée. . . . .1 c. à thé Lait écrémé . . . . $^1/_2$ t	Pamplemousse frais en tranches . . . . . . $^1/_2$ t Flocons de blé entier . . . . 1 oz Bagel nature grillé $^1/_2$ Fromage à la crème $^1/_2$ c. à table Lait 2%. . . . . .1 t	Cantaloup . . . . . . $^1/_4$ Crêpes de blé entier. . . . . 2 * Sauce aux bleuets . . . . . . $^1/_4$ t Lait écrémé. . . . 1 t
DÎNER	*Soupe aux pois cassés . . . . .1 t *Sandwich rapide au thon et à luzerne . . 1 Salade verte. . . . . 1 t Vinaigrette italienne faible en calories1 c. à table *Tarte au chocolat et à la menthe. . . . 1 portion	* Salade à la dinde et aux pâtes. . . . . 1 $^1/_4$ t Quartiers de tomates sur feuille de laitue . . 1 portion Petit pain. . . . . .1 Margarine . .1c. à thé Lait écrémé. . . . . .1 t	* Salade Taco laitue . . . . 1 t chili . . . . $^3/_4$ t Sorbet . . . . $^1/_2$ t	Sandwich au poulet grillé. . . . . . 1 Mayonnaise 1 sachet * Salade de chou Confetti. . . . . . . $^1/_2$ t Lait 2%. . . . . .1 t	* Pomme de terre garnie de chili . . . . 1 * Salade aux épinards et à l'orange . . . . 1 t Craquelins au blé . 6
SOUPER	*Steak de surlonge savoureux . . . . 3 oz *Jardinière de courgettes et maïs. . . . . $^1/_2$ t Salade de tomate et laitue . . . 1 portion Vinaigrette française faible en calories. . 1 c. à table Petit pain de blé entier . . . . 1 Margarine. 1 c. à thé *Parfait au yogourt et à la fraise . . . . . 1 t	* Filets de poisson Créole. . . . . 3 oz Petites pommes de terre nouvelles, avec pelure . . . . 2 Petits pois verts $^1/_2$ t avec margarine . . . . 1 c. à thé * Muffin au blé entier et à la semoule de maïs. . . . . 1 Margarine. 1 c. à thé Croustillant aux pêches . . . . $^1/_2$ t	* Sauté de porc et légumes préparation . . . . . 1 t riz. . . . . $^3/_4$ t Brocoli cuit. . . . . $^1/_2$ t Petit pain blanc . . . 1 Ananas en morceaux. . . . . . $^1/_2$ t	* Lentilles Stroganoff préparation. . . 1 $^1/_2$ t nouilles. . . . . . . $^3/_4$ t Fèves vertes entières . . . . . . $^1/_2$ t Salade de tomates et concombres1 portion Vinaigrette faible en calories1 c. à table Melon au miel. . . $^1/_8$	* Poulet glacé aux abricots . . . . . . 3 oz * Pilaf aux riz et pâtes. . . . . $^3/_4$ t Salade . . . . 1 t Vinaigrette italienne faible en calories . 1 c. à table Petit pain. . . . . . . 1 Lait glacé à la vanille . . . . . . $^1/_2$ t
COLLATIONS	Biscuits Graham . . . 3 carrés Lait écrémé . . . . . 1 t	Bagel. . . . .1 moyen Margarine 1 c. à thé Gelée. . . . 1 c. à thé	Craquelin au blé. . .6 Lait écrémé . . . . .1 t	Sandwich au roast-beef. . . . . . $^1/_2$	Biscuits aux figues 1 Lait écrémé. . . . $^3/_4$ t

Adaptation du document «Using the food guide pyramid: a resource for nutrition educateurs», A. Shaw, L. Fulton, C. Denis, M. Hogbin, diététistes du U.S. Department of Agriculture:

* Voir les recettes dans la section «Vos Outils»

Tableau des portions, menu à 1600 calories, jour 1

Produits	Pain et céréales	Légumes	Fruits	Lait et produits laitiers	Viandes et substituts (onces)	Gras (grammes)	Calories
DÉJEUNER							
Jus d'orange, $^3/_4$ tasse			1			trace	84
Gruau, $^1/_2$ tasse	1					1	73
Pain blanc grillé, 1 tranche	1					1	69
Margarine molle, 1 c. à thé						4	34
Gelée, 1 c. à thé						trace	16
Lait écrémé, $^1/_2$ tasse				$^1/_2$		trace	43
DÎNER							
*Soupe aux pois cassés, 1 tasse					1 $^1/_4$	2	218
pois cassés et jambon carottes et oignons		$^1/_2$					
*Sandwich rapide au thon et à la luzerne					1 $^1/_2$	4	202
thon petit pain sandwich de blé entier	2						
Salade verte, 1 tasse		1				trace	9
Vinaigrette italienne faible en calories, 1 c. à table						1	16
*Tarte au chocolat et menthe, 1 portion	$^1/_2$			$^1/_4$		6	176
SOUPER							
*Steak de surlonge savoureux, 3 onces					3	5	129
*Jardinière de courgettes et maïs, $^1/_2$ tasse		1				2	76
Salade de tomate et laitue, 1portion (tomate moyenne, 1feuille de laitue)		1				trace	27
Vinaigrette française faible en calories, 1 c. à table						1	22
Petit pain de blé entier	1					1	72
Margarine molle, 1 c. à thé						4	34
*Parfait au yogourt et à la fraise, 1 tasse				$^1/_2$		2	128
yogourt congelé faible en calories fraises			1				
COLLATIONS							
Biscuits Graham, 3 carrés	1					2	81
Lait écrémé, 1 tasse				1		trace	85
TOTAL	6 $^1/_2$	3 $^1/_2$	2	2 $^1/_4$	5 $^3/_4$	36	1 594

103

Tableau des portions, menu à 1600 calories, jour 2

Produits	Pain et céréales	Légumes	Fruits	Lait et produits laitiers	Viandes et substituts (onces)	Gras (grammes)	Calories
DÉJEUNER							
Jus de pamplemousse, $^3/_4$ tasse			1			trace	70
*Pita du déjeuner, 1 portion	1					6	171
pita de blé entier, 4 pouces							
légumes		$^1/_4$					
oeuf					$^1/_2$		
Lait écrémé, 1 tasse				1		trace	86
DÎNER							
*Salade à la dinde et aux pâtes, 1 portion	1				2	6	264
macaroni			$^1/_2$				
raisins rouges							
dinde							
Quartiers de tomates sur feuille de laitue		1				trace	27
Petit pain	1					1	78
Margarine molle, 1 c. à thé						4	34
Lait écrémé, 1 tasse				1		trace	86
SOUPER							
*Filets de poisson Créole, 1 portion					3	1	131
morue							
légumes		1					
Petites pommes de terre nouvelles, avec pelure, 2		1				trace	68
Petits pois verts cuits, $^1/_2$ tasse		1				trace	67
avec margarine molle, 1 c. à thé						4	34
*Muffins au blé entier et à la semoule de maïs	2					4	129
Margarine molle, 1 c. à thé						4	34
*Croustillant aux pêches, $^1/_2$ tasse						4	153
flocons d'avoine et farine	$^1/_2$		$^3/_4$				
pêches congelées							
COLLATIONS							
Bagel moyen	2					1	153
Margarine molle, 1 c. à thé						4	34
Gelée, 1 c. à thé						trace	16
TOTAL	7 $^1/_2$	4 $^1/_2$	2 $^1/_4$	2	5 $^1/_2$	39	1 635

Tableau des portions, menu à 1600 calories, jour 3

Produits	Pain et céréales	Légumes	Fruits	Lait et produits laitiers	Viandes et substituts (onces)	Gras (grammes)	Calories
DÉJEUNER							
Pamplemousse moyen, $^1/_2$			1			trace	41
Céréales prêtes-à-servir, 1 once	1					trace	111
Muffin anglais avec raisins, grillé, $^1/_2$	1					1	69
Gelée, 1 c. à thé						trace	16
Lait écrémé, $^1/_2$ tasse				$^1/_2$		trace	43
DÎNER							
*Salade Taco, 1 portion croustilles tortilla non salées purée de tomates et laitue fromage cheddar faible en gras et sodium boeuf et haricots	$^3/_4$	1 $^1/_2$		$^1/_2$	2 $^1/_2$	19	455
Sorbet, _ tasse						2	135
SOUPER							
*Sauté de porc et légumes, 1 portion riz légumes porc	1 $^1/_2$	1			3	9	370
Brocoli cuit, $^1/_2$ tasse		1				trace	26
Petit pain blanc	1					2	83
Ananas en morceaux, $^1/_2$ tasse			1			trace	75
COLLATIONS							
Craquelins au blé, 6	1					4	86
Lait écrémé, 1 tasse				1		trace	85
TOTAL	6 $^1/_4$	3 $^1/_2$	2	2	5 $^1/_2$	37	1 595

Tableau des portions, menu à 1600 calories, jour 4

Produits	Pain et céréales	Légumes	Fruits	Lait et produits laitiers	Viandes et substituts (onces)	Gras (grammes)	Calories
DÉJEUNER							
Fraises fraîches en tranches, $^1/_2$ tasse			1			trace	25
Flocons de blé entier, 1 once	1					trace	99
Bagel nature grillé moyen, $^1/_2$	1					trace	74
Fromage à la crème, $^1/_2$ c. à table						3	25
Lait 2 %, 1 tasse				1		5	122
DÎNER							
Sandwich au poulet grillé	2				2	9	315
poulet							
petit pain de blé entier							
tranche de tomate							
feuille de laitue							
Mayonnaise, 1 sachet						8	72
*Salade de chou Confetti, $^1/_2$ tasse		1				trace	36
Lait 2 %, 1 tasse				1		5	122
SOUPER							
*Lentilles Stroganoff, 1 portion	1 $^1/_2$	1 $^1/_4$		$^1/_4$	2	5	520
nouilles							
lentilles							
légumes coupés							
yogourt							
Fèves vertes cuites, $^1/_2$ tasse		1				trace	22
Salade de tomates et concombres		1				trace	17
tomates, concombre et feuille de laitue							
Vinaigrette faible en calories, 1 c. à table						1	16
Melon au miel moyen, $^1/_8$			1			trace	44
COLLATIONS							
Sandwich au roast-beef, $^1/_2$	1				1	3	116
roast-beef							
pain de blé entier							
feuille de laitue							
moutarde, 1 c. à thé							
TOTAL	6 $^1/_2$	4 $^1/_4$	2	2 $^1/_4$	5	39	1 625

Tableau des portions, menu à 1600 calories, jour 5

Produits	Pain et céréales	Légumes	Fruits	Lait et produits laitiers	Viandes et substituts (onces)	Gras (grammes)	Calories
DÉJEUNER							
Cantaloup moyen, $^1/_4$			1			trace	48
*Crêpes de blé entier, 2	2					4	172
*Sauce aux bleuets, $^1/_4$ tasse			$^1/_3$			trace	33
Lait écrémé, 1 tasse				1		trace	86
DÎNER							
*Pomme de terre garnie au chili pomme de terre moyenne sauce tomate boeuf et haricots		1 $^1/_2$			2 $^1/_2$	9	397
*Salade aux épinards et à l'orange, 1 tasse épinards légumes hachés sections d'orange et jus		1 $^1/_2$	$^1/_2$			7	108
Craquelins au blé, 6	1					4	86
SOUPER							
*Poulet glacé aux abricots, 1 portion poulet abricots, raisins et jus d'orange			$^1/_2$		3	2	212
*Pilaf aux riz et pâtes, $^3/_4$ tasse	1 $^1/_2$	$^1/_4$				5	20
Salade, 1 tasse		1				trace	13
Vinaigrette italienne faible en calories, 1 c. à table						1	16
Petit pain	1					1	78
Lait glacé à la vanille, $^1/_2$ tasse				$^1/_3$		3	91
COLLATIONS							
Biscuits aux figues, 1	$^1/_2$					1	57
Lait écrémé, $^3/_4$ tasse				$^3/_4$		trace	64
TOTAL	6	4 $^1/_4$	2 $^1/_3$	2	5 $^1/_2$	37	1 664

Menus pour 5 jours à 2200 calories

	Jour 1	Jour 2	Jour 3	Jour 4	Jour 5
DÉJEUNER	Jus d'orange . . . $^3/_4$ t Gruau . . . . $^1/_2$ t Pain blanc grillé . . . . 2 tranches Margarine. 2 c. à thé Gelée . . . . 1 c. à thé Lait 2% . . . . $^1/_2$ t	Jus de pamplemousse . $^3/_4$ t * Pita du déjeuner 1 sandwich Lait 2% . . . . 1 t	Pamplemousse . . $^1/_2$ Banane . 1 moyenne Céréales prêtes-à-servir . . 1 oz Muffin anglais avec raisins grillé . . . . 1 margarine . 2 c. à thé Lait écrémé . . . . $^1/_2$ t	Fraises fraîches en tranches . . . . . . $^1/_2$ t Flocons de blé entier . . . . 1 oz Bagel nature grillé . . . . . . 1 moyen Fromage à la crème . 1 c. à table Lait 2% . . . . 1 t	Cantaloup . . . . . . $^1/_4$ * Croquettes de dinde . . . . 1 oz Crêpes de blé entier . . . . 2 * Sauce aux bleuets . . . . . . $^1/_4$ t Margarine . 1 c. à thé Lait écrémé . . . . . 1 t
DÎNER	*Soupe aux pois cassés . . . . 1 t *Sandwich rapide au thon et à luzerne . . 1 Salade verte. . . . . 1 t Vinaigrette italienne faible en calories 1 c. à table *Tarte au chocolat et à la menthe. . . . 1 portion	* Salade à la dinde et aux pâtes. . . . . . . 1 $^1/_4$ t Quartiers de tomates sur feuille de laitue . . 1 portion Petit pain. . . . . 2 Margarine . 2 c. à thé Biscuits à l'avoine . . 4 Lait 2% . . . . 1 t	* Salade Taco laitue . . . . 1 t chili . . . . $^3/_4$ t Biscuits au gingembre 2	Sandwich au poulet grillé . . . . . . 1 Mayonnaise 1 sachet * Salade de chou Confetti. . . . . . . $^1/_2$ t Orange . . . . 1 Lait 2% . . . . 1 t	* Pomme de terre garnie de chili . . . . 1 Fromage Cheddar faible en gras et en sodium 3 c. à table * Salade aux épinards et à l'orange . . . . 1 t Craquelins au blé . 6 Lait écrémé . . . . . 1 t
SOUPER	*Steak de surlonge savoureux . . . . 3 oz *Jardinière de courgettes et maïs . . . . $^3/_4$ t Salade de tomate et laitue . . . 1 portion Vinaigrette française 1 c. à thé Petit pain de blé entier . . . . 2 Margarine. 1 c. à thé *Parfait au yogourt et à la fraise . . . . 1 t	* Filets de poisson Créole . . . . 4 oz Petites pommes de terre nouvelles, avec pelure . . . . 2 Petits pois verts $^1/_2$ t avec margarine . . . . 1 c. à thé * Muffin au blé entier et à la semoule de maïs . . . . 2 Margarine . 1 c. à thé Croustillant aux pêches . . . . $^1/_2$ t	* Sauté de porc et légumes préparation . . . . . 1 t riz. . . . . $^3/_4$ t Brocoli cuit. . . . . $^1/_2$ t Petit pain blanc . . . 2 Margarine . 2 c. à thé Ananas en morceaux. . . . . . . $^1/_2$ t	* Lentilles Stroganoff préparation . . 1 $^1/_2$ t nouilles . . . . $^3/_4$ t Fèves vertes entières . . . . . . $^1/_2$ t avec margarine . 1 c. à thé Salade de tomates et concombres 1 portion Vinaigrette faible en calories 1 c. à table Petit pain pumpernickel . . . . 1 Margarine . 1 c. à thé Melon au miel . . . $^1/_8$	* Poulet glacé aux abricots . . . . . . 3 oz * Pilaf aux riz et pâtes . . . . $^3/_4$ t Salade . . . . 1 t Vinaigrette italienne faible en calories . 1 c. à table Petit pain. . . . . 2 margarine . 2 c. à thé Lait glacé à la vanille . . . . . . $^1/_2$ t
COLLATIONS	Biscuits Graham . . . 6 carrés Lait 2% . . . . 1 t Beurre d'arachide 2 c. à table Bâtonnets de carottes 7-8 moyens	Bagel . . . . . 1 moyen Margarine 2 c. à thé Poire 1	Craquelin au blé . . 6 Fromage cheddar . . . . 1 $^1/_2$ oz Jus de tomates non salé . . . . 1 t	Jus de tomates non salé . . . . . . $^3/_4$ t Sandwich au roast-beef . . . . 1 Lait 2% . . . . 1 t	Pretzel mou . 1 gros Pomme . . . . $^1/_2$

*   Voir les recettes et les détails concernant les portions dans la section «Vos Outils»

Menus pour 5 jours à 2800 calories

	Jour 1	Jour 2	Jour 3	Jour 4	Jour 5
DÉJEUNER	Jus d'orange . . . $^3/_4$ t Gruau. . . . . $^1/_2$ t Pain blanc grillé . . . . 2 tranche Margarine. 2 c. à thé Gelée. . . . 2 c. à thé Lait 2%. . . . . $^1/_2$ t	Jus de pamplemousse . $^3/_4$ t * Pita du déjeuner 1 sandwich Muffin au son 1 gros Margarine . 1 c. à thé Lait 2% . . . . .1 t	Pamplemousse . . $^1/_2$ Banane . 1 moyenne Céréales prêtes-à-servir . . 1 oz Muffin anglais avec raisins grillé. . . . . 1 margarine .2 c. à thé Lait écrémé . . . . 1 t	Fraises fraîches en tranches . . . . . . $^1/_2$ t Oeuf cuit dur. . . . . .1 Flocons de blé entier . . . . 1 oz Bagel nature grillé . . . . . .1 moyen Fromage à la crème . 1 c. à table Lait 2%. . . . . .1 t	Cantaloup . . . . . . $^1/_4$ * Croquettes de dinde . . . . .1 oz Crêpes de blé entier. . . . . 3 * Sauce aux bleuets . 6 c. à table Margarine .2 c. à thé Lait 2% . . . . 1 t
DÎNER	*Soupe aux pois cassés . . . . 1 t *Sandwich rapide au thon et à luzerne . . 1 Salade verte. . . . . 1 t Vinaigrette italienne faible en calories1 c. à table *Tarte au chocolat et à la menthe. . . . 1 portion Lait 2%. . . . . 1 t	* Salade à la dinde et aux pâtes. . . . . . . 1 $^1/_4$ t Quartiers de tomates sur feuille de laitue . . 1 portion Petit pain . . . . .2 Margarine . 2 c. à thé Biscuits à l'avoine . .6 Lait 2% . . . . .1 t	* Salade Taco laitue . . . . 1 t chili . . . . $^3/_4$ t Sorbet . . . . $^1/_2$ t Biscuits au gingembre . . . . 3 Lait écrémé . . . . 1 t	Sandwich au poulet grillé. . . . . . .1 Mayonnaise 1 sachet * Salade de chou Confetti. . . . . . $^1/_2$ t Orange. . . . . .1 Gâteau au citron. . . . . 1 tranche Lait 2%. . . . . .1 t	* Pomme de terre garnie de chili . . . . 1 Fromage Cheddar faible en gras et en sodium3 c. à table * Salade aux épinards et à l'orange . . . . 1 t Raisins . . . . 12 Craquelins au blé . 6 Biscuits aux figues. . . . . 2 Lait 2% . . . . 1 t
SOUPER	*Steak de surlonge savoureux . . . . 4 oz *Jardinière de courgettes et maïs. . . . . 1 t Salade de tomate et laitue . . . 1 portion Vinaigrette française 1 c. à table Petit pain de blé entier . . . . 2 Margarine. 1 c. à thé *Parfait au yogourt et à la fraise . . . . . 1 t	* Filets de poisson Créole. . . . . 4 oz Petites pommes de terre nouvelles, avec pelure . . . . .2 Petits pois verts $^3/_4$ t avec margarine . . . . 1 c. à thé * Muffin au blé entier et à la semoule de maïs. . . . . .2 Margarine . 2 c. à thé Croustillant aux pêches . . . . $^1/_2$ t	* Sauté de porc et légumes préparation . . . . . 1 t riz. . . . . $^3/_4$ t Brocoli cuit. . . . . 1 t Petit pain blanc . . . 2 Margarine .2. c. à thé Ananas en morceaux. . . . . . $^1/_2$ t	* Lentilles Stroganoff préparation. . . . . .1 t nouilles. . . . . . . $^3/_4$ t Fèves vertes entières avec margarine. 1 c. à thé Salade de tomates et concombres 1 portion Vinaigrette faible en calories1 c. à table Petit pain pumpernickel . . . .2 Margarine. 2 c. à thé	Melon au miel . . . $^1/_4$ * Poulet glacé aux abricots . . . . . 3 oz * Pilaf aux riz et pâtes. . . . . $^3/_4$ t Courgettes à la vapeur. . . . . $^1/_2$ t Salade . . . . 1 t Vinaigrette italienne faible en calories . 1 c. à table Petit pain. . . . . 2 margarine .2 c. à thé Lait glacé à la vanille . . . . . . $^1/_2$ t
COLLATIONS	Biscuits Graham . . 6 carrés Lait 2%. . . . . 1 t Sandwich au beurre d'arachide/banane. 1 Pêche. . . . . 1 Yogourt aux fruits sans gras. . . . . 8 oz Bâtonnets de carottes 7-8 moyens	Bagel . . . . .1 moyen Margarine 2 c. à thé Gelée . . . . 2 c. à thé Poire . . . . .1 Yogourt aux fruits sans gras . . . . . $^1/_2$ t Arachides rôties non salées2 c. à table ($^1/_2$ oz)	Craquelin au blé . .6 Fromage cheddar . . . . 1 $^1/_2$ oz Jus d'orange . . $^3/_4$ t Sandwich à la dinde . . . . 1 Légumes crus . . . .6 morceaux Trempette aux épinards. 2 c. à table	Jus de tomates non salé. . . . . $^3/_4$ t Sandwich au roast-beef. . . . . . . .1 Lait 2%. . . . . 1 t Limonade . . . . . .1 t	Pretzel mou . 1 gros Pomme . . . . $^1/_2$ Limonade . . . . . . 1 t Lait 2% . . . . 1 t

Bientôt, vous créerez vous-même vos propres menus. Pour vous aider, j'ai inclus dans la section «Vos Outils», une liste de livres de recettes basées sur le Guide alimentaire canadien.

Vous êtes enceinte et faites de l'embonpoint?

Si vous aviez un surplus de poids avant la grossesse ou que votre médecin suggère de limiter votre gain de poids pour des raisons de santé, n'entreprenez pas de diète amaigrissante. L'objectif devrait plutôt être de contrôler votre gain de poids en misant sur une alimentation de qualité. Les diététistes Hélène Laurendeau et Brigitte Coutu, ont écrit un excellent livre traitant de l'alimentation durant la grossesse. On peut y retrouver entre autres, un aide-mémoire et un menu de la semaine à l'intention de la future maman qui doit contrôler son gain de poids. J'ai pensé que cette information pouvait être utile pour certaines d'entre vous. Ces deux tableaux ont donc été reproduits dans la section «*Vos Outils*» du présent ouvrage.

Principe 3: abaissez votre consigne par une alimentation saine et équilibrée; deux témoignages.

Les témoignages qui suivent sont ceux de deux personnes qui ont choisi de perdre du poids en mangeant selon les recommandations du Guide alimentaire canadien. Elles expliquent ici les obstacles qu'elles ont dû surmonter pour intégrer ces nouvelles habitudes et comment ce changement d'alimentation a eu des répercussions non seulement sur leur apparence physique mais aussi sur leur bien-être et leur santé.

Lise B., 33 ans

J'ai commencé à prendre du poids vers l'âge de 18 ans. Je travaillais alors dans le domaine de la restauration rapide. Quelques années plus tard, mon mari et moi avons acheté notre propre casse-croûte. Nous travaillions alors de 8h le matin à 10h le soir. Nous mangions nos trois repas par jour au casse-croûte. Au menu; frites, hamburgers, hot-dogs, pizza, crème glacée, gâteaux et chocolat. Après plusieurs années de ce régime, je pesais 241 lb (111,1 kg). À 22 ans j'ai accouché de mon premier fils et 4 ans plus tard, de mon deuxième garçon. Je n'aimais pas l'apparence de mon corps, je m'essoufflais au moindre effort et j'avais de la difficulté à lacer mes chaussures. Il m'était impossible de suivre mes fils dans leurs jeux. J'ai d'abord essayé quelques méthodes d'amaigrissement, dont des substituts de repas à base de produits naturels coûteux. En 6 mois, j'ai maigri de 60 livres. Six mois plus tard, j'avais repris 100 livres (46,1 kg). J'étais alors découragée, et je me disais que je n'arriverais probablement jamais à être mince. J'ai alors décidé de ne plus chercher à maigrir, surtout que mon mari m'avait dit qu'il m'aimait telle que j'étais. Cependant, je demeurais mal à l'aise à l'idée de montrer mon corps. À la piscine, je portais un t-shirt par-dessus mon maillot de bain. Je n'aimais pas non plus me faire bronzer en présence d'autres personnes.

Un jour, ma sœur aînée qui avait perdu 70 livres (32,3 kg), m'a parlé d'un programme d'amaigrissement inspiré des recommandations du Guide alimentaire canadien. J'ai hésité pendant quelques semaines, puis comme ma sœur m'a expliqué qu'il s'agissait d'une alimentation «normale», basée sur des aliments faciles à trouver dans tous les supermarchés, j'ai décidé de l'essayer. En rentrant le soir à la maison, j'ai montré à mon mari de quoi serait composée ma nouvelle alimentation. Voyant les menus et les portions, il n'a pu s'empêcher de s'exclamer:«Tu ne pourras jamais maigrir en mangeant tout cela!» Il m'a cependant encouragée à poursuivre le programme dans la mesure où j'entreprenais ces changements pour moi-même et non pour lui faire plaisir. J'étais à présent motivée et lui ai annoncé que le jour où j'atteindrais mon objectif de perte de poids, je m'achèterais un bikini! Il m'a alors suggéré d'attendre d'avoir maintenu mon poids pendant 1 an avant de l'acheter.

Armée d'une motivation à toute épreuve, j'ai entrepris de suivre à la lettre le programme. J'ai suivi les recettes, réduit les matières grasses lors de la cuisson des aliments, pesais et prenais en note tout ce que je mangeais. J'ai perdu beaucoup de poids. En 13 mois, j'ai maigri de 105 livres (48,4 kg) pour atteindre un poids de 135 lb (62,2 kg). Mes garçons et mon mari m'ont encouragée tout au long du processus. Contrairement aux autres diètes que j'avais suivies, ils pouvaient maintenant manger les mêmes repas que moi, ce qui facilitait ma tâche. Un an plus tard, j'ai acheté mon bikini. Depuis 3 ans, ma sœur et moi maintenons notre poids.

Bien que je ne sois pas particulièrement sportive, j'apprécie maintenant pouvoir nager, jouer au ballon ou au parc avec mes enfants,
faire du vélo ou du patin en famille. Mon nouveau corps en santé me
donne une assurance que je n'aurais jamais espérée.

Omer B., 52 ans

*Jusqu'à la naissance de ma fille, j'ai pesé 135 lb (62,2 kg) et je me
faisais souvent taquiner par ma famille et mes collègues de travail à
cause de mon petit gabarit. Dans ma famille, il fallait être lourd pour
être viril. Lorsque ma fille est née, j'ai changé de travail et je me suis
alors mis à manger davantage d'aliments riches en calories. En deux
ans, j'ai pris 70 lb (32,3 kg), accumulées surtout dans la région abdominale. Je ne m'inquiétais alors pas de ce gain de poids. Au
contraire, le jour où j'ai atteint 200 lb (92,2 kg), j'ai eu le sentiment
d'être enfin devenu un «vrai» homme!*

*Arrive ensuite un accident de la route dans lequel je me suis fractu-
ré des os du visage. On m'a alors broché la mâchoire. Je ne pouvais
donc manger que des aliments liquides. En 7 semaines, j'ai perdu 50
lb (23 kg). Dès qu'on m'a retiré les broches, j'ai recommencé à
manger comme à l'habitude. Avec mes amis, il m'arrivait alors régulièrement d'aller au restaurant et de manger un demi-poulet, des
frites et deux pointes de pizza. Manger toute une tarte au sucre ou
une douzaine de beignes était chose fréquente pour moi. À la maison,
la viande occupait une place centrale, et était servie pratiquement à
tous les repas. Je me délectais du gras de viande, et mangeais aussi
celui que mes deux enfants et ma femme laissaient dans leur assiette. À part l'été où nous cueillions les légumes de notre jardin, nous
en mangions rarement.*

*Progressivement, j'ai ainsi repris le poids perdu. Un an plus tard, je
pesais à nouveau plus de 200 lb (92,2 kg). Je suis demeuré à ce poids
pendant plus de vingt ans. Avec le temps, j'ai commencé à développer
des brûlures d'estomac très intenses. Au cours des 3 et 4 dernières
années, je consommais en moyenne 6 à 7 rouleaux d'antiacides par
semaine et deux boîtes de bicarbonate de soude par mois. Ces ma-
laises chroniques ne me poussaient pourtant pas à changer mon
alimentation. Il a fallu un commentaire de mon fils sur mon apparence pour changer radicalement ma façon de manger. Vexé, j'ai
entrepris le lundi suivant, un programme d'amaigrissement basé sur
le Guide alimentaire canadien que suivait déjà ma femme. J'ai commencé à manger davantage de légumes et à développer un goût pour*

des aliments tels le pain de blé entier et le yogourt. Mon alimentation était maintenant saine, équilibrée et faible en gras. Dès le mercredi, soit seulement deux jours après avoir commencé ce nouveau programme, je ne souffrais déjà plus de brûlures d'estomac. Je n'en ai plus souffert depuis. Ma perte de poids a été particulièrement rapide. En seulement deux mois, j'ai perdu 36 lb (16,6 kg) pour me stabiliser à 166 lb (76,5 kg). Depuis maintenant deux ans et demi, je maintiens ma perte de poids. Je me sens plus jeune et beaucoup plus en forme.

Bien que mon alimentation ait changé radicalement, je n'ai pas trouvé la transition difficile. J'ai toujours continué d'aller au restaurant le vendredi soir et le dimanche matin avec ma femme. Mes choix de menus portent maintenant davantage vers des mets préparés avec peu de gras. J'aime particulièrement les trempettes et je consomme maintenant beaucoup plus de légumes. Je mange du dessert assez régulièrement et je n'ai pas l'impression de me priver. Pour moi, ne pas me sentir à la diète est un facteur primordial dans ma nouvelle alimentation. J'aime l'idée de manger de la vraie nourriture et non pas des produits que l'on achète à la pharmacie. Comme mon épouse a un nouveau travail de nuit, j'ai commencé à m'impliquer dans la préparation des repas. Le dimanche, je décide avec elle du menu des 2 ou 3 prochains jours et prépare à l'avance certains plats. Les portions recommandées sont très rassasiantes et je me demande même parfois comment je vais faire pour manger tout ce que contient mon assiette. Mes deux petites-filles de 6 et 7 ans mangent au moins une fois par semaine chez moi, et je suis heureux de leur offrir des repas qui soient bons pour leur santé.

En conclusion, des recherches récentes montrent qu'une alimentation s'inspirant du Guide alimentaire canadien peut être une des meilleures stratégies pour maigrir efficacement. Il est important toutefois de garder à l'esprit que le défi réel dans la quête du poids-santé réside moins dans l'amaigrissement, que dans le maintien de la perte de poids. La clé est donc de développer un programme alimentaire qui se rapproche le plus d'une alimentation typiquement familiale. Vous pourrez ainsi maintenir ces nouvelles habitudes tout au long de votre vie et en toutes circonstances. Essayez le menu proposé, munissez-vous de quelques bons livres de recettes et voyez comment le Guide alimentaire canadien peut vous aider, vous aussi, à maigrir.

Abaissez votre consigne:

En bougeant

Consommer une alimentation saine et équilibrée est la première straté-gie que nous avons vue pour «reprogrammer» progressivement votre consigne. Bouger sera la seconde. En augmentant votre activité physique, vous ferez bien plus que brûler des calories. Vous *abaisserez votre poids de consigne*.

Notre corps aime économiser de l'énergie (c'est l'*Instinct de conserva-tion*). Pour une même activité physique, il doit dépenser beaucoup plus d'énergie s'il pèse 92 kg (202 lb) que s'il en pèse 74 (163 lb). En abaissant notre poids de consigne, le corps se délestera de quelques kilos et aura donc à dépenser moins d'énergie pendant l'exercice. Il peut ainsi pratiquer cette activité avec plus d'efficacité. À l'époque où les humains devaient se déplacer pour sub-sister, que ce soit sous un mode de vie nomade ou lors de la chasse, avoir un corps svelte devait certainement représenter un avantage pour ce type d'activi-tés. L'abaissement de la consigne en réponse à l'activité physique serait donc une réponse adaptative visant le fonctionnement optimal de l'organisme. Ainsi, *un corps actif est réglé pour peser moins qu'un corps inactif*.

Il y a une vingtaine d'années, Peter Wood, un biochimiste et coureur, a comparé la quantité d'aliments consommés par des coureurs à celle d'un groupe de personnes sédentaires[23]. Ces travaux ont montré que les individus qui cou-raient quelques kilomètres par semaine, mangeaient moins que le groupe de personnes sédentaires. C'est comme si leur corps, en réponse à l'exercice, re-cevait l'ordre de maintenir une masse corporelle moindre. Chez les athlètes de plus haut niveau qui couraient beaucoup, Wood a constaté une augmentation de l'apport alimentaire directement proportionnelle à leur niveau d'activité. Plus ils faisaient de l'exercice et plus ils mangeaient. Mais étonnamment, plus ils per-daient aussi de masse grasse. L'exercice avait vraisemblablement abaissé leur poids de consigne, de sorte que même si ces individus mangeaient beaucoup, ils ne prenaient pas de poids.

114

Une combinaison gagnante

Vous avez vu dans le chapitre précédent qu'en adoptant une alimentation saine et équilibrée vous abaissiez votre poids de consigne. Maintenant si vous désirez mettre toutes les chances de votre côté, il vous faudra aussi augmenter votre activité physique. Une fois plus actif, vous aurez deux systèmes physiologiques qui travailleront à abaisser votre consigne et donc, à vous faire maigrir. Une équipe de chercheurs a analysé l'efficacité des méthodes d'amaigrissement depuis les 25 dernières années[15]. Pour ce faire, ils ont divisé les méthodes d'amaigrissement en 3 groupes: programme alimentaire seulement, exercice seulement, et une combinaison des deux. Leurs travaux ont montré d'une part, que l'amaigrissement par l'alimentation seulement ou par une combinaison alimentation-exercice donnaient des résultats similaires, et d'autre part, que ces deux méthodes étaient supérieures aux programmes de perte de poids basés uniquement sur l'exercice. Cependant, après un suivi d'un an, le maintien du poids perdu était meilleur chez les personnes qui combinaient *alimentation saine et exercice*. L'activité physique régulière est l'élément prédictif le plus important dans la lutte pour le maintien du poids corporel à long terme[7,8,17]. En effet, les individus qui associent alimentation saine et activité physique ont beaucoup plus de chances de maintenir leur perte de poids à long terme. Il est à noter que l'activité physique serait particulièrement bénéfique pour les individus présentant une obésité abdominale[4].

Sachez vous entourer

Comme nous l'expliquait un peu plus tôt le Dr Cabanac, la recherche du plaisir est le moteur de tous les comportements. Pour être motivé à faire de l'exercice, il faut donc faire en sorte que l'expérience soit agréable. Une des façons d'intégrer de manière agréable de nouvelles habitudes de vie (et de les maintenir), est de se trouver un ou des partenaires qui entreprendront eux aussi ces changements. Ce peut être votre conjoint, vos enfants, ou un collègue de travail. L'important est de trouver des gens aussi motivés que vous et prêts à partager cette expérience en votre compagnie.

Vous pouvez aussi faire part de votre projet à vos proches et amis et signifier l'importance de leur soutien à vos yeux. Il est encourageant de voir ses efforts reconnus et valorisés par son entourage. Une étude a révélé que les femmes dont les maris étaient au courant de leurs efforts d'amaigrissement et soutenaient ces efforts, même si ce n'était que durant les premières semaines de leur programme d'amaigrissement, perdaient davantage de poids, et maintenaient davantage cette perte de poids après un suivi de 3 ans[18]. Si vous préférez, joignez un groupe de soutien que ce soit par le biais de rencontres formelles, par correspondance, ou via l'internet. Le soutien des autres ne peut évidemment pas se substituer à votre motivation. Il peut toutefois constituer un atout précieux.

Débutez en douceur

Les médecins et spécialistes de l'activité physique disent qu'il faut faire de l'exercice physique au moins trois fois par semaine durant au moins 30 min par séance pour perdre du poids et améliorer ses capacités cardio-respiratoires. Toutefois, pour bien des gens, à cause de leur condition physique actuelle ou de leur charge de travail, faire autant d'exercice est un objectif inaccessible. Une équipe de Stockholm a démontré que la marche rapide, telle que conseillée par certains médecins, pouvait être pratiquement impossible à faire pour certains patients obèses[13]. L'étude, qui consistait à faire marcher le plus rapidement possible des individus obèses sur une distance de 1.6 km (1 mille), a révélé que seulement 3 des 17 sujets avaient pu compléter le test.

Si vous êtes très obèse, vous vous dites peut-être que la marche n'est pas pour vous. N'abandonnez pas l'idée de l'exercice trop vite. Ces travaux ne font qu'indiquer que la marche *rapide* peut être un exercice trop exigeant pour certains. Les personnes obèses doivent en effet travailler beaucoup plus fort lorsqu'elles marchent rapidement que les individus de poids normal. Cependant, il est important de savoir qu'il n'est pas nécessaire pour les personnes très lourdes de marcher rapidement pour maigrir. Le simple fait de marcher peut représenter un effort physique suffisant pour améliorer leur santé de façon significative et maigrir. Il s'agit d'adapter sa vitesse de marche à sa condition physique. Une bonne façon de savoir si vous vous exercez à la bonne intensité consiste à voir si vous pouvez parler en faisant votre exercice. Si c'est le cas, vous savez que vous ne travaillez pas à une intensité trop élevée. Si toutefois vous pouvez chanter en faisant votre exercice, c'est que vous ne travaillez probablement pas assez fort.

Un pas à la fois

Avant de commencer mes études universitaires, j'étais passionnée de montagne et de grands espaces. Par un heureux concours de circonstances, j'ai pu me joindre à l'équipe de soutien d'une expédition dont le but était d'escalader le K2 en Himalaya. Au cours de cette expédition qui a duré 4 mois, j'ai eu le privilège de côtoyer de grands alpinistes canadiens, britanniques et polonais. Un jour, alors que j'aidais à préparer du matériel d'escalade au camp de base, j'ai demandé à un des grimpeurs qui travaillait à mes côtés comment il avait fait pour atteindre le sommet de l'Everest. Je m'attendais à avoir des détails sur son équipement, son entraînement ou sa technique d'escalade, mais après avoir jeté un regard aux cimes glacées qui nous entouraient, il m'avait répondu simplement: «Je suis arrivé au sommet en faisant un pas à la fois». Des années plus tard, je me souviens encore de cette courte réponse qui m'avait alors à la fois déçue et fascinée.

Déçue, parce que j'espérais que ce personnage mythique de l'alpinisme me fasse part de techniques d'escalade ultra-performantes, et à la fois fascinée, parce que je réalisais que l'attitude qui l'avait mené au plus haut sommet du monde était à la portée de tous et pouvait s'appliquer à d'autres défis. Cette attitude – cette philosophie -, était infiniment plus précieuse que toute autre technique qu'il aurait pu m'enseigner.

Je sais que pour la majorité des gens, intégrer l'activité physique dans leur quotidien est un véritable défi. C'est pourquoi, je vous suggère de vous y attaquer, vous aussi, *un pas à la fois*. Progressivement, vous aussi, serez capable d'atteindre votre objectif.

L'Entraînement par Récompenses de 5 minutes: *Une suggestion pour intégrer l'exercice dans nos vies chargées et sédentaires*

J'ai mis au point une technique que j'appelle le *Programme d'Entraînement par Récompenses de 5 minutes*. L'idée de ce programme m'est venue en discutant avec des gens qui avaient beaucoup de poids à perdre et désiraient intégrer l'exercice dans leur vie. Étant sédentaires depuis des années, ces personnes avaient une résistance très faible à l'effort. Les recommandations nationales suggérant un minimum de 3 séances de 30 minutes d'exercice par semaine représentaient un objectif que la plupart de ces personnes jugeaient inaccessible. Après quelques essais, la majorité d'entre elles s'étaient découragées n'arrivant pas à faire plus de quelques minutes d'exercice à la fois. Je trouvais dommage que les gens qui auraient dû bénéficier le plus des bienfaits de l'exercice n'en fassent pas, faute de programme à leur mesure.

Une nouvelle façon de voir l'exercice

Pour intégrer l'exercice dans votre vie, il faut d'abord cesser de le voir comme une punition. Cette façon de voir les choses ne peut que freiner votre progression. Si vous croyez que ceci s'applique à vous, je vous propose de considérer cette nouvelle approche selon laquelle l'exercice n'est pas une punition que l'on subit mais plutôt *une récompense que l'on s'offre*. Une récompense qui nous apporte plaisir et satisfaction, qui nous détend, qui nous rend fort, nous fait perdre du poids et raffermit notre corps.

L'idée de départ, pour les gens qui ne font aucune activité physique, est d'intégrer à votre semaine non pas 3 séances de 30 min d'exercice, *mais une séance de 5 min d'exercice par jour*. Hé oui, 5 min! Il vaut mieux faire 5 min d'exercice à tous les jours que rien du tout. L'important dans votre nouveau style de vie plus actif, c'est la progression. Ne revenez pas en arrière. Il est préférable de commencer tranquillement, et de vous assurer d'avoir bien intégré cette nouvelle habitude de vie, que d'avoir des objectifs trop élevés, et de ne pas les atteindre ou de ne pas pouvoir les maintenir à long terme. Il faut garder à l'esprit que nous visons ici, le long terme.

Au fur et à mesure que vous vous sentirez bien avec votre programme d'activité physique, ajoutez une nouvelle période d'exercice de 5 minutes à votre semaine. Prenez le temps de vous habituer avec votre nouveau niveau d'activité avant de passer à une étape supérieure. Notez dans un cahier ou sur vos feuilles intitulées «*Mon programme pour la semaine*» (dans «*Vos Outils*» à la fin du livre), chaque période d'entraînement. Savourez votre progression. Souvenez-vous qu'hier encore l'exercice ne faisait pas du tout partie de votre vie. Voilà que vous en faites tous les jours!

Appropriez-vous l'exercice. Démystifiez-le. Il n'est pas nécessaire d'aller dans des centres spécialisés pour faire de l'activité physique. Faites-en dans votre salon, avec vos enfants ou en allant faire vos courses. Faites-en un moment privilégié où vous vous ressourcez. Récompensez-vous!

Nul besoin d'être sophistiqué pour être efficace

Environ 78% de la population nord-américaine fait peu ou pas d'exercice. Si le sport ne vous intéresse pas beaucoup, sachez que de nombreuses activités physiques peuvent vous aider à abaisser votre consigne. Le réputé *Journal of the American Medical Association* a publié récemment les travaux de deux équipes concernant les effets de divers types d'exercices sur la santé. Vous serez ainsi heureux d'apprendre que l'augmentation d'activités quotidiennes telles le jardinage et les travaux ménagers serait aussi efficace qu'un programme structuré d'exercice physique pour abaisser le pourcentage de gras corporel, la pression artérielle et augmenter la capacité cardiorespiratoire[1,6].

L'exercice physique n'a donc pas besoin d'être sophistiqué ou épuisant pour être efficace. Deux types d'activité que vous aurez peut-être envie d'intégrer dans votre semaine sont la marche, nous en avons glissé un mot tout à l'heure, et les exercices de musculation légère.

La marche

Comme je le disais un peu plus tôt, la marche peut être une bonne idée même chez les gens qui ont beaucoup de poids à perdre et qui ne sont pas très en forme. La plupart des gens sont toutefois peu enclins à croire qu'il soit possible de perdre du poids seulement en marchant[19]. Cependant, un simple programme de marche, sans restriction alimentaire, a pour effet d'engendrer une perte de poids significative et d'améliorer le taux de cholestérol chez les personnes obèses[14].

Bien des gens préfèrent participer à des activités physiques en groupe. Le groupe les stimule, leur permet d'échanger, de relaxer, et les motive à maintenir un niveau d'activité stable. D'autres personnes préfèrent s'organiser seules. Avec leur horaire chargé, elles aiment avoir de la flexibilité et pouvoir décider rapidement de faire une activité physique sans avoir à attendre d'autres personnes pour bouger. C'est vraiment une question de personnalité. Les recherches montrent que le choix de l'activité physique, son intensité et le contexte dans lequel elle est pratiquée (ex. à la maison ou en groupes organisés), influencent fortement la participation à long terme à un programme d'exercice[12]. L'important est de connaître vos goûts, ce qui vous stimulera le plus et vous apportera le plus de plaisir.

Les exercices de musculation

Autrefois réservée aux haltérophiles et aux culturistes, la musculation commence depuis quelque temps à gagner en popularité auprès de la population en général, et de ceux qui cherchent à maigrir. Des recherches ont révélé que des exercices de musculation, sans changement dans l'alimentation, pouvait faire maigrir[4]. En effet, les exercices de musculation augmentent votre masse musculaire. Un corps plus musclé va donc brûler plus de calories qu'auparavant. Même assis à ne rien faire, un corps plus musclé, *même s'il est gras*, va brûler plus de calories qu'un corps de même masse constitué de moins de muscle.

La musculation, même légère, tonifie votre masse musculaire et l'augmente. Intégrez quelques-unes de ces récompenses de 5 minutes dans votre semaine et avec le temps, vous aiderez votre corps à se délester de son surplus de poids. Au début, le simple poids de vos bras ou de vos jambes, suffiront à créer une résistance. Plus tard, vous voudrez peut-être vous munir de boîtes de conserve pour faire les exercices ou de petites haltères de 1 à 2 lb (0,5 à 1 kg), ou encore de poids que l'on peut attacher aux poignets ou aux chevilles. Josée

Lavigueur, animatrice d'aérobie bien connue et appréciée du public, a préparé pour vous un peu plus loin, une série d'exercices qui peuvent faire office de «récompenses de 5 minutes».

Il n'est pas nécessaire de vous réserver des périodes d'entraînement rigides ou exténuantes. Allez-y au gré de vos activités quotidiennes.

- Par exemple, si vous aimez regarder la télévision, faites quelques exercices avec les bras et les jambes durant les pauses publicitaires.
- Au travail, levez-vous toutes les heures ou heures et demie. Récompensez-vous en faisant quelques exercices pour le dos et les jambes.
- À l'heure du lunch, offrez-vous une récompense de 5 min en faisant quelques exercices de musculation.
- Pendant que vos enfants font la sieste, récompensez-vous 5 minutes en effectuant quelques exercices tonifiant pour les jambes.

Lorsque vous débutez, votre programme d'entraînement consiste en une récompense de 5 min d'exercice quotidien. L'exercice de votre choix. Notez dans votre feuille de route hebdomadaire chacune de vos périodes d'activité physique. Chaque semaine, lorsque vous sentez que vous avez bien intégré ce niveau d'activité, ajoutez une nouvelle récompense de 5 min dans votre semaine. Faites ce qui vous plaît. Une marche au magasin du coin, des exercices pour vos jambes pendant votre pause café, un peu de jardinage, ce qui vous plaît. Ajoutez une récompense de 5 min d'exercice à chaque fois que vous sentez que vous pouvez augmenter confortablement votre niveau d'activité physique.

Vous serez bientôt en mesure de faire des blocs de 10 min puis de 15 min d'activité physique continue. Lorsque vous avez bien intégré cette routine, essayez de déterminer 3 journées de la semaine au cours desquelles vous pourrez augmenter progressivement votre activité physique. Il peut s'agir par exemple, de deux journées de la semaine et d'une journée de la fin de semaine. Lorsque vous ferez au moins 3 périodes de 15 minutes d'activité physique continue par semaine, continuez à ajouter toujours à votre rythme, des récompenses de 5 minutes d'exercice dans votre semaine. Cela vous fera donc des périodes d'activité physique qui varieront en durée de 5 à 20 minutes par jour. Vous aurez ainsi atteint un total de 95 minutes par semaine soit un peu plus que les 90 minutes recommandées par les spécialistes. Bravo!

S'il vous arrivait de vivre quelques moments de découragements, prenez quelques instants pour jeter un coup d'œil sur le chemin que vous avez parcouru depuis que vous avez pris la décision de faire plus d'activité physique. Appréciez vos progrès: vous êtes moins essoufflé en montant l'escalier, vous vous sentez mieux dans vos vêtements, vous êtes moins fatigué après une séance d'exercice. Savourez ces victoires.

Si vous faisiez déjà de l'exercice, l'entraînement par récompenses de 5 minutes peut aussi vous être utile. Il ne s'agit que de vous offrir quelques récompenses de 5 minutes d'exercice de plus par semaine et possiblement d'augmenter l'intensité de votre activité physique. Faites aussi le décompte du temps passé à faire de l'activité physique. Si vous voyez que votre activité est concentrée sur certains jours de la semaine (ex. fin de semaine), essayez de placer quelques récompenses dans les jours où vous bougez le moins. Voyez dans votre horaire où vous pouvez ajouter une récompense de 5 minutes. Lorsque vous vous sentez prêt, ajoutez-en une autre et ainsi de suite, jusqu'à ce que vous ayez atteint un niveau d'activité physique qui soit agréable et compatible avec votre style de vie. Cela pourra être l'équivalent de 30 à 45 minutes d'exercice par jour, 3 à 5 fois par semaine.

Bouger avec Josée Lavigueur

Au cours de mes grossesses, j'ai continué à faire de l'exercice. Une des activités que j'aimais faire pendant que mes autres petits faisaient la sieste était de suivre un vidéo d'aérobie. C'est de cette façon que j'ai découvert Josée Lavigueur. J'apprécie son approche très saine de la perte de poids qui témoigne d'une préoccupation réelle pour le bien-être de sa clientèle. Lorsque j'ai décidé d'inclure une section d'exercices dans mon livre, j'ai immédiatement pensé à elle.

Josée Lavigueur, en plus de s'occuper de ses deux petites filles, donne des leçons d'aérobie, participe à une émission télévisée et écrit une chronique hebdomadaire dans un journal. Elle est accompagnée ici de mon amie Jennifer, mère de 4 jeunes enfants. Jennifer qui a accouché l'année dernière a recommencé à faire de l'exercice et à surveiller son alimentation. Grâce à ces changements, elle a perdu 15 kg (33 lb) et continue à perdre du poids. Elle me dit avoir maintenant davantage d'énergie pour s'occuper de sa maisonnée et donner ses leçons d'aquaforme. Bravo Jen!

Notez que chaque exercice présenté ici peut faire l'objet d'une récompense de 5 minutes dans votre journée.

Caroline m'a demandé de vous montrer quelques exercices pouvant être faits à la maison ou au travail, et vous permettant de tonifier des groupes musculaires importants. Voici les exercices que j'ai choisis pour vous et quelques conseils pour les effectuer de façon sécuritaire et efficace. Je vous suggère d'effectuer au début **8 à 15 répétitions par exercice**. Avec le temps vous pourrez augmenter graduellement le nombre de répétitions ou la charge des poids que vous utilisez.

Photo Chantal Poirier

En espérant que vous ayez du plaisir à faire ces exercices et que vos efforts portent fruits. Bon entraînement!

Josée Lavigueur

LES PLIÉS (ou squats).

Les débutants peuvent commencer en s'aidant d'une chaise pour garder l'équilibre. Cependant, dès que vous êtes plus à l'aise avec l'exercice, laissez la chaise de côté. Ceci vous permettra de développer davantage vos muscles stabilisateurs. Ces muscles sont importants dans la vie de tous les jours pour garder l'équilibre, mais aussi pour vous aider à soulever ou à déplacer des charges.

Pliés, *position de départ*

Pliés, *position finale*

Mes conseils pour cet exercice:

- Debout, écartez vos pieds à la largeur de vos épaules.
- Placez les mains sur la chaise (ou devant vous).
- Contractez légèrement les abdominaux.
- Gardez le dos droit, les épaules ouvertes.
- Pliez les jambes et descendez. Plus vous descendrez bas, plus la charge de travail sera importante. Allez-y à votre rythme, au début, une légère flexion peut être suffisante. Assurez-vous de ne jamais dépasser un angle de 90 degrés avec le sol (cuisse parallèle au sol).
- En descendant, votre dos doit rester droit. La flexion doit se faire au niveau des hanches et non pas du dos. Votre bassin devrait donc naturellement s'éloigner de la chaise tandis que vos épaules vont s'avancer.
- Remontez doucement.

LES FENTES (ou lunges).

Les fentes, *position de départ*

Les fentes, *position finale*

Mes conseils pour cet exercice:

- Debout, écartez légèrement vos pieds.
- Placez une main sur la chaise et l'autre sur votre hanche (ou les deux mains sur les hanches).
- Contractez légèrement les abdominaux.
- Gardez le dos droit, les épaules ouvertes.
- Faites un grand pas vers l'arrière. Fléchissez la jambe avant. Plus vous serez avancé, plus vous pourrez descendre (sans jamais dépasser 90 degrés avec le sol). La jambe avant fait le gros du travail, la jambe arrière ne sert que de support et est légèrement fléchie.
- Lorsque vous fléchissez votre jambe avant, assurez-vous que votre genou soit au-dessus de vos orteils sans toutefois les devancer.
- Remonter.

Au début, il est plus facile de changer de jambe après chaque flexion. Lorsque vous serez plus entraîné, vous pourrez faire une série de 10 à 15 répétitions avec une jambe, pour ensuite faire le même nombre de répétitions avec l'autre.

LES POMPES (ou push-ups). Je vous présente 3 versions en ordre croissant de difficulté:

Si vous en êtes à vos tout débuts, essayez cette version des pompes effectuée à l'aide d'un mur, tel qu'illustré ici par Jennifer:

Mes conseils pour cet exercice:

- Trouvez un mur pas trop encombré et placez-vous environ à deux pieds (60 cm) de celui-ci.

- Placez vos pieds dans une position confortable, habituelle-ment légèrement plus larges que vos hanches.

- Faisant face au mur, posez-y vos mains à la largeur de vos épaules. Gardez vos bras tendus.

- Gardez le dos droit et les abdominaux légèrement contractés.

- Fléchissez les coudes en vous rapprochant graduellement du mur. La flexion du coude ne doit pas dépasser un angle de 90 degrés.
- Retournez à votre position de départ.

Les pompes, *positions de départ.*

Je fais ici la version avancée, Jennifer la version débutante.

Lorsque les pompes au mur deviennent faciles pour vous, essayez la version à genoux exécutée ici par Jennifer.

Mes conseils pour cet exercice:

- Placez-vous à genoux. Vos genoux doivent presque se toucher.
- Prenez appui avec les mains dans une position confortable.
- Vos hanches devraient être au-dessus de vos genoux.

- Fléchissez les coudes et faites comme si vous vouliez aller toucher le plancher avec votre menton (et non avec votre front).
- Vos coudes devraient être à 90 degrés avec le sol.
- Votre menton devrait arriver près du sol, entre vos deux mains.
- Remontez.

Lorsque les pompes sur les genoux seront devenues faciles, vous pouvez essayer une version à genoux plus avancée, comme celle que je suis en train de faire sur la photo ci-haut.

Mes conseils pour cette version de l'exercice:

- Installez-vous à genoux comme pour les pompes précédentes, mais au lieu de placer vos hanches au-dessus de vos genoux, il faut déplacer votre bassin vers l'avant, comme je le montre sur la photo.

- Fléchissez les coudes et descendez en gardant le dos droit. Dans cet exercice, il est important de conserver une ligne droite entre la tête, le tronc et les cuisses.
- Ici également, la flexion de vos coudes ne doit pas dépasser un angle de 90 degrés.
- Remontez.

LES DEMI-REDRESSEMENTS ASSIS.

Le nom de cet exercice ne correspond pas à son niveau d'efficacité. En effet, bien que nous ne nous soulevions pas autant que dans les redressements assis dits «complets» (où l'on soulève son tronc complètement pour se retrouver en position assise) cet exercice fait travailler 95% des muscles abdominaux par opposition aux redressements assis «complets» qui ne font travailler que 40% des abdominaux. Ne vous fiez donc pas à son apparence simpliste, cet exercice est d'une efficacité redoutable!

Les demi-redressements assis, *position de départ*

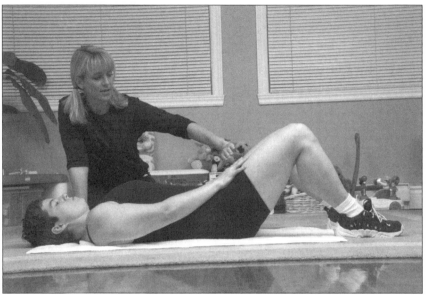

Les demi-redressements assis, *position finale*

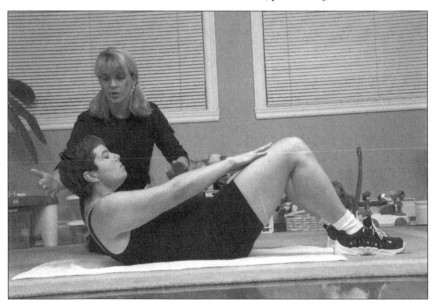

Mes conseils pour cet exercice:

- Allongez-vous sur le dos, les genoux repliés, vos pieds étant bien à plat à la largeur des hanches.
- Placez vos mains sur vos cuisses.
- Soulevez vos épaules progressivement en contractant bien les abdominaux.
- J'explique ici à Jennifer que la tête doit demeurer dans le prolongement du haut du dos. Pour ce faire, pensez à garder votre menton dégagé de votre poitrine. On devrait être capable d'insérer une balle de tennis dans cet espace.
- Le but est seulement de dégager les épaules du sol en faisant comme si vous vouliez toucher vos genoux de la pointe de vos doigts.
- Tout le reste du dos demeure au sol.
- Il n'est pas nécessaire de vous soulever davantage. La contraction des muscles abdominaux est suffisante pour bien les faire travailler.
- Redescendez.

Cette version-ci des demi-redressements assis est conçue à l'intention des débutants. L'utilisation de la serviette, telle qu'illustrée par Jennifer, permet de soulever la tête et les épaules plus facilement:

Mes conseils pour cet exercice:

- Allongez-vous sur votre serviette, sur le dos. Le bord de la serviette devrait arriver à la hauteur de vos yeux.
- Prenez les deux coins de la serviette.
- Tirez vers le haut les coins de la serviette. Le but est simplement de dégager les épaules du sol en les *soulevant légèrement*.
- Contractez légèrement les abdominaux dans la montée.
- Redescendez.

LES EXTENSIONS AU-DESSUS DE LA TÊTE (ou overheads).

Pour cet exercice vous aurez besoin d'une chaise et de poids. Vous pouvez utiliser des haltères (2 lb; 1 kg), des boîtes de conserve ou encore des bouteilles d'eau.

Les extensions au-dessus de la tête, *position de départ (Jennifer)*

Les extensions au-dessus de la tête, *position finale*

Photos Claude Lacasse

Mes conseils pour cet exercice:

- Asseyez-vous sur une chaise, près du bord. Cette position fera travailler vos muscles stabilisateurs (muscles qui soutiennent la colonne vertébrale).
- Pour la position de départ, saisissez vos poids et fléchissez les bras. Vos paumes devraient être orientées vers l'avant et à la hauteur de vos épaules.
- Soulevez les poids au-dessus de la tête en dépliant vos bras (extension). Rendues en haut, vos deux paumes devraient se faire face.
- Faites attention de soulever les poids au-dessus de votre tête, plutôt vers l'avant. Vous devriez être capable de voir vos poids sans lever la tête.
- Redescendez les bras à votre position de départ.

Ces exemples d'exercices proposés par Josée Lavigueur vous montrent qu'il est possible d'intégrer simplement l'activité physique dans votre quotidien. Vous pouvez choisir de faire quelques-uns de ces exercices le matin en vous levant, au bureau pendant votre heure de dîner ou encore lorsque vos enfants dorment.

Mettez l'accent sur vos progrès personnels plutôt que sur la performance.

Ces moments où vous faites de l'activité physique sont autant de récompenses que vous vous offrez. Savourez-les!

Certaines activités physiques feraient-elles maigrir davantage que d'autres?

On me pose souvent cette question. Les activités physiques d'intensité légère à moyenne utilisent relativement peu d'énergie. Par exemple, pour brûler l'équivalent d'un verre de lait, il faut marcher près de 35 minutes. Cependant, sachez que le décompte des calories brûlées ne s'arrête pas là. Après une activité physique, notre métabolisme demeure élevé pendant encore quelques heures. Ce qui signifie que notre organisme continue à brûler davantage de calories, même lorsque nous sommes au repos.

Une étude a été effectuée à ce sujet chez un groupe de femmes souffrant d'embonpoint et désirant perdre du poids, sans changer leur alimentation[9]. Dans le cadre de ces travaux, trois groupes ont été formés. Un groupe faisant de la marche rapide, un autre du vélo stationnaire et le dernier, de la natation. Les femmes ont toutes progressivement augmenté leur exercice jusqu'à 60 min d'exercice par jour. Après 6 mois, les femmes qui avaient fait de la marche avaient perdu 10% de leur masse initiale, et celles qui avaient fait du vélo stationnaire 12%, tandis que celles qui avaient fait de la natation n'avaient perdu aucun poids. Contrairement à celles qui ont marché ou pédalé, les femmes qui ont fait de la natation n'ont perdu aucun gras.

Si vous faites de la natation, et aimez en faire, ne la laissez pas tomber pour autant. Ce sport est bénéfique à plusieurs autres égards pour la santé. Cependant, si vous comptiez uniquement sur elle pour perdre du poids, vous feriez peut-être mieux d'aller à la piscine en marchant!

De plus en plus de recherches démontrent que des sessions d'exercice à intensité élevée seraient utiles à la perte de poids[11]. Il est possible d'entrecouper votre période d'entraînement par de courtes sessions (d'une durée de quelques secondes à quelques minutes) à haute intensité durant lesquelles vos fréquences cardiaques seront beaucoup plus élevées. On appelle intervalles, ces courtes sessions à haute intensité. L'entraînement par intervalles peut être aussi simple que d'inclure au cours de votre marche de 30 min, 5 périodes d'intervalles d'une minute pendant lesquelles vous marcherez à vitesse rapide. Monter une côte peut aussi faire partie des intervalles compris dans votre session d'entraînement. Vous pouvez aussi inclure quelques courtes périodes de jogging durant votre marche. Ce même principe d'incorporer de courtes périodes d'activité à haute intensité lors d'un entraînement à faible intensité peut être appliqué à pratiquement tous les types d'activités aérobiques. Il est également possible de se réserver des journées où l'entraînement sera moins long, mais plus intense.

L'entraînement idéal

L'entraînement idéal pour maigrir est celui *qui vous procurera le plus de plaisir.* Il est plus important de commencer à bouger que d'intégrer un programme d'entraînement officiel. L'objectif étant de bouger davantage, toute augmentation de votre activité physique sera un gain pour votre santé. D'un point de vue purement physiologique toutefois, il semble que la combinaison de sessions d'activités aérobiques (joignant des exercices à faible intensité et de courts intervalles à haute intensité) à des exercices de musculation serait une formule particulièrement efficace pour améliorer sa santé, augmenter sa masse musculaire et perdre du poids.

L'effet de l'exercice sur votre corps

L'exercice est plus qu'une simple histoire de calories brûlées. Les scientifiques savent maintenant que l'exercice a un effet direct sur le système nerveux et hormonal. Il en résulte que le corps tend à maintenir un poids moindre.[2,3,16,20,21]. L'exercice entraînerait, entre autre, une augmentation de la sécrétion de CRH (Cortico-Releasing-Hormone). La CRH est une «super-hormone-amaigrissante» qui diminue votre appétit et augmente votre dépense énergétique ainsi que l'utilisation de vos réserves de graisses. *Elle abaisse le poids de consigne.* En faisant de l'exercice, gardez en tête qu'en plus de développer votre masse musculaire, vous augmentez la production de cette hormone. Elle vous aidera à atteindre votre poids-santé.

Les phases de plateau

Il peut arriver au cours de la phase d'amaigrissement que vous cessiez de perdre du poids et ce, pour aucune raison apparente. Si votre poids demeure stable après plusieurs semaines où vous combinez alimentation saine et exercice, quatre choses peuvent être en train de se produire:

1. *Votre poids est stable, mais en fait, vous avez perdu du gras et augmenté votre masse musculaire en réponse à l'exercice.* Bravo! Bien que vous soyez au même poids depuis quelques semaines, votre corps a continué à changer pour le mieux. Vous êtes moins gras, plus en forme, et probablement mieux dans vos vêtements! Votre organisme va aussi brûler plus d'énergie qu'avant, même au repos, car la masse musculaire exige beaucoup d'énergie pour son entretien. Pour vérifier si c'est le cas, mesurez votre tour de taille. S'il est inférieur à votre dernière mesure, vous avez bel et bien perdu du gras.

2. *Vos besoins énergétiques ont peut-être changé.* Si votre tour de taille est demeuré le même, prenez quelques minutes pour réévaluer votre dépense énergétique à l'aide des calculs du Chapitre 7. N'oubliez pas de faire vos calculs en fonction de votre nouveau poids. Ensuite, essayez d'évaluer la quantité d'énergie que vous consommez à partir du nombre de portions puisées à même le Guide alimentaire. Soyez le plus précis possible. Vous ne voulez surtout pas aboutir à des conclusions erronées qui vous feraient couper les calories dont votre corps a besoin. Si vous voyez que votre consommation d'énergie est supérieure à votre dépense, réduisez légèrement le nombre de calories que vous mangez tous les jours. En étant plus mince maintenant, il est possible que vos besoins énergétiques soient moindres que ce qu'ils étaient lorsque vous étiez plus lourd. Si cela peut vous encourager, sachez que si vous n'avez pas encore atteint votre objectif de perte de poids, les bienfaits de l'exercice sur le taux de cholestérol et l'insuline sont présents même si la perte de poids obtenue est inférieure à 5% de la masse initiale[5].

3. *Votre corps est peut-être en train de se réajuster.* La perte de poids modifie la sécrétion de nombreuses hormones. Il est possible que votre organisme traverse une période de réajustements pendant laquelle il cesse de maigrir temporairement. Votre poids se stabilise alors à ce nouveau poids de consigne. À moins que vous n'ayez

atteint votre poids de consigne définitif, si vous maintenez vos nouvelles habitudes de vie, d'ici quelques semaines vous devriez recommencer à maigrir. Soyez patient et félicitez-vous de tout le chemin déjà parcouru.

4. *Votre organisme a besoin d'un coup de pouce additionnel.* Il peut arriver que le seul moyen de déclencher à nouveau la perte de poids soit d'augmenter l'intensité ou la durée de l'exercice[10,22]. Tel que nous avons vu dans le principe de l'abaissement de la consigne, le réajustement de la consigne se fait vraisemblablement de façon progressive. Par étapes. À chaque plateau que l'individu veut franchir pour perdre davantage de poids, il doit absolument abaisser sa consigne d'un cran. Dans certains cas, il sera donc nécessaire d'augmenter l'intensité ou la durée de l'activité physique.

Abaissez votre consigne par l'exercice: **un témoignage.**

Les prochaines lignes vous feront connaître un jeune père de famille qui est retourné à l'exercice. Il nous fait part des retombées positives de l'activité physique dans sa vie, notamment comment il a réduit son tour de taille et augmenté sa résistance physique.

André D., 33 ans

Je suis un grand amateur de balle-molle. Jusqu'au moment où j'ai rencontré ma conjointe, j'y jouais 4 ou 5 fois par semaine. L'hiver je jouais aussi au hockey. Mesurant 5 pi 10 po (1,78 m), je pesais alors 230 lb (106 kg). En faisant la connaissance de ma compagne, j'ai ralenti mes activités sportives pour passer davantage de temps avec elle. J'ai ensuite eu deux enfants, ce qui a aussi contribué à changer mon style de vie. En 11 ans, j'ai pris près de 90 lb (41,5 kg) et mon poids est monté à 323 lb (148,8 kg). J'ai décidé de maigrir après avoir vu un documentaire à la télévision traitant des problèmes de santé associés à l'obésité. Peut-être que le fait d'avoir de jeunes enfants m'a aussi conscientisé à l'importance d'être en bonne santé.

Ainsi, il y a un an et demi, j'ai décidé de participer au programme d'amaigrissement qui avait permis à ma conjointe de se délester de 35 lb (16,1 kg). Cette approche incluait un volet activité physique et

142

un volet alimentation, ce dernier étant basé sur le Guide alimentaire canadien. La composante exercice me plaisait et m'a motivé à respecter mon programme. Trois fois par semaine, en compagnie de ma conjointe, je me rendais à un centre de conditionnement physique pour faire 20 à 25 min de musculation suivies de 45 minutes d'exercices cardio-vasculaires. Grâce au volet alimentation, j'ai réalisé que depuis des années, je mangeais peu de fruits et légumes et plus de viande que nécessaire. Ma conjointe et moi avons ainsi pris l'habitude de préparer des recettes suivant les recommandations du Guide alimentaire canadien.

Outre le fait de manger davantage de fruits et légumes, nous avons réduit notre consommation de gras et de sucre. Notre nouvelle alimentation nous rassasie et il arrive parfois que nous ne soyons pas en mesure de terminer toutes les portions recommandées. Nous avons aussi décidé de réduire notre consommation de certains aliments favoris, comme le poulet frit et le chocolat. En 3 mois, j'ai perdu 50 lb (23 kg). Mon tour de taille est passé de 54 à 48 po (137 à 121,9 cm) Je maintiens cette perte de poids depuis maintenant plus d'un an. Depuis que j'ai maigri, j'ai plus d'énergie en soirée et j'ai moins le goût de regarder la télévision qu'avant. Je suis plus actif physiquement. Mes efforts ont été récompensés lors de ma dernière saison de hockey, où j'ai pu constater une nette amélioration de mes performances. Je suis moins essoufflé au jeu, et me sens beaucoup plus alerte sur la glace.

Savoir assumer ses choix

Recommencer à bouger après des années de sédentarité exige un effort de volonté, mais vous serez surpris des retombées positives qui en découleront non seulement sur votre santé et votre apparence mais aussi dans votre vie personnelle, professionnelle et sociale. En effet, l'activité physique régulière ne développe pas que les muscles et le système cardio-vasculaire. L'exercice, et l'effort psychologique qui l'accompagne, augmentent la confiance en soi et réveilleront en vous des qualités de persévérance et de volonté qui peuvent être mises à profit dans d'autres sphères d'activité.

Les obstacles à la pratique régulière de l'activité physique sont nombreux: mauvaise température, manque de temps, fatigue, ennui, etc. Certaines personnes, après avoir commencé un programme d'entraînement, constatent qu'inclure l'activité physique dans leur vie demande des efforts de planification mais aussi de persévérance et de ténacité. Pour certaines d'entre elles, ces efforts représenteront des obstacles insurmontables. Elles auront le sentiment que les inconvénients surpassent les bénéfices.

Cependant, nul ne peut espérer jouir des bienfaits de l'activité physique s'il n'est pas d'abord prêt à y consacrer du temps ou à persévérer dans des circonstances peu agréables. Le fait que de nombreux individus triomphent de ces obstacles sur une base régulière illustre parfaitement la notion d'engagement vue dans le premier principe («*Endossez le changement*»). Comme tout le monde, il arrive à ces personnes de devoir faire face à la mauvaise température ou à la fatigue du travail. Néanmoins, elles font le choix d'opter pour les comportements qui les rapprocheront de leurs objectifs, même si cela implique un coût en terme de temps et d'énergie.

Apprenez à reconnaître vos signaux internes et à les respecter

Quatrième principe

En appliquant les trois premiers principes (*Endossez le changement*, *Déterminez un objectif réalisable* et *Abaissez votre consigne*), vous mettez tout en place pour que votre corps cherche à maintenir un poids moindre. Pour maigrir efficacement cependant, il vous reste à acquérir une habileté; celle de reconnaître vos signaux internes et de les respecter. Il s'agit d'une des habiletés les plus importantes que vous puissiez découvrir dans ce livre. En la développant, vous vous réapproprierez une faculté qui vous habite mais que, pour toutes sortes de raisons, vous avez cessé d'utiliser à sa pleine capacité. Vous apprendrez dans ce chapitre que *le contrôle naturel de votre poids ne peut se faire adéquatement que dans la mesure où vous écoutez ces messages*.

Les humains —particulièrement les adultes— ont tendance à perdre contact avec les messages de leur corps tels que les signaux de la faim et la satiété. Ceci est particulièrement vrai pour les personnes qui sont au régime depuis des années. Ou bien elles ne perçoivent pas ces signaux, ou bien elles les perçoivent mais préfèrent les ignorer ou les combattre. Certaines personnes ne portent attention à ces messages que lorsqu'elles atteignent une intensité extrême, comme lorsque la faim devient dévorante ou lorsqu'elles ont tellement mangé qu'elles s'en retrouvent incommodées. Ces comportements interfèrent avec le bon fonctionnement de leur régulateur de gras.

Contrairement à l'humain, les animaux sauvages sont en parfaite harmonie avec leur régulateur de gras. Les animaux en liberté ne deviennent pratiquement jamais obèses (sauf lorsqu'ils se préparent à hiberner, et encore là, il s'agit d'une élévation temporaire de la consigne qui témoigne d'une régulation parfaitement saine). Ils mangent lorsqu'ils ont faim et cessent de manger lorsqu'ils sont rassasiés. Ces animaux conservent des réserves de graisse remarquablement stables tout au long de leur vie. Jadis, notre comportement alimentaire aussi était gouverné par nos signaux de satiété et de faim. Mais avec la modernisation progressive de notre société, nous avons commencé à être influencés par autre chose que nos simples pulsions biologiques. Toutes sortes de contraintes sont venues interférer avec nos comportements fondamentaux. Ainsi, nous avons appris à manger à des heures précises plutôt que lorsque nous ressentons la faim. Nous avons appris à vider notre assiette même lorsque nous n'avons plus faim. La mode de la minceur nous a aussi appris à nier notre faim. Toutes ces contraintes nous ont éloignés des besoins réels de notre corps.

Faites confiance à votre régulateur de gras

Pour mettre en pratique ce quatrième principe, vous devez apprendre à reconnaître les signaux de votre régulateur de gras mais aussi, et surtout, à leur faire confiance. Pourquoi est-ce si important? Parce que ces signaux internes sont vos meilleurs guides. C'est par ce moyen que le corps communique ses besoins. La faim et la satiété sont les messages que vous envoie votre corps pour vous guider vers les comportements les plus appropriés. En respectant ces messages, vous favoriserez la régulation naturelle de votre poids. Graduellement, en adoptant une alimentation saine et équilibrée, vous aurez de plus en plus confiance en vos capacités à manger selon vos besoins *réels*.

Les enfants sont comme les animaux sauvages

Les enfants sont les champions toutes catégories pour la régulation du poids. Tout comme les animaux sauvages, ce sont des merveilles de précision lorsqu'il s'agit de s'alimenter. Leann Birch, spécialiste du comportement alimentaire de l'enfant et chercheure à l'Université de Pennsylvanie, a montré qu'un enfant laissé à lui-même mange pratiquement toujours la quantité de nourriture qui répond à ses besoins physiologiques[4]. Il a faim, il mange. Il n'a plus faim, il cesse de manger et ce, même s'il s'agit de son dessert favori. Bien qu'inconscients du processus régulateur, les enfants sont très sensibles aux signaux internes de satiété et les respectent davantage que les adultes[3].

Alors, me direz-vous, comment se fait-il que certains enfants deviennent obèses? La consommation fréquente d'aliments riches en gras et en sucre élève la consigne. Les enfants n'échappent pas à cette loi. L'organisme des petits exposés chroniquement à ce type d'alimentation ne pourra compenser pour le surplus d'énergie ingéré. Leann Birch a montré que les enfants qui percevaient moins bien les signes de satiété étaient plus gras que les autres[3]. Par ailleurs, elle a constaté que les parents de ces enfants contrôlaient davantage le type de nourriture et les portions ingérées par l'enfant. Ces interventions dans l'alimentation brouilleraient les signaux de satiété de l'enfant. Pour savoir quelle quantité manger et à quel moment, l'enfant apprendra à se fier aux références extérieures, comme les commentaires de ses parents ou l'heure de la journée plutôt qu'aux messages internes de faim et de satiété. Enfin, l'étude de jumeaux a révélé que le bagage génétique avait une influence sur la perception des signaux de la faim[9].

Voyons maintenant de quelle façon il vous sera possible de reprendre contact avec les messages de votre régulateur de gras.

Du plaisir au déplaisir: l'alliesthésie

Vous êtes-vous déjà demandé pourquoi vous éprouvez beaucoup de plaisir à manger un premier morceau de gâteau, mais de moins en moins en s'attaquant à un deuxième et que rendu au troisième morceau, vous n'éprouviez plus de plaisir mais au contraire, un certain dégoût pour cet aliment? Qu'est-ce qui a pu faire que de très agréable, un même aliment puisse devenir désagréable au goût? Pourtant les propriétés de ce gâteau n'ont pas changé; son goût, sa texture, son odeur sont demeurés les mêmes.

En réalité, c'est *vous* qui avez changé! Des changements dans votre corps (sécrétion d'hormones, de neurotransmetteurs, etc.) ont modifié votre perception de cet aliment. Le Dr Cabanac a étudié ce phénomène en profondeur et lui a même trouvé un nom: l'*alliesthésie*, qui signifie; «sensation changée». Ce phénomène par lequel un aliment agréable devient de moins en moins agréable pour la personne qui le consomme est bien plus qu'une simple habituation des papilles. Des expérimentations chez l'animal et l'humain, ont montré que l'alliesthésie est un véritable message envoyé par l'organisme, un moyen par lequel il tente de réguler son poids. Ainsi, lorsque vous n'éprouvez plus de plaisir à manger au cours d'un repas, cela signifie habituellement que vous êtes rassasié. La satiété est un signal de votre corps signifiant qu'il est temps de cesser de manger. Les animaux et les enfants obéissent naturellement à ces messages et c'est une des raisons qui font qu'ils ont de la facilité à maintenir un poids stable.

En appliquant le quatrième principe: «Apprenez à reconnaître et à respecter vos signaux internes», vous reprendrez graduellement contact avec les manifestations de la faim et de la satiété. Le simple fait de porter attention à ce changement du *plaisir vers le déplaisir* lorsque vous mangez, vous fera prendre conscience de l'effet de la nourriture sur votre corps. Les réactions de votre organisme vous indiqueront ainsi la quantité adéquate de nourriture à consommer.

Vous n'avez plus faim? Cessez de manger!

Le fait de manger envoie de nombreux messages au cerveau. Le simple fait que l'estomac se distende avec l'arrivée des aliments transmet des signaux indiquant cette distension. Vous sentez alors que votre estomac est gonflé. Vous vous sentez «plein». Reconnaissez-vous cette sensation? Essayez d'y porter attention lors de vos prochains repas.

S'alimenter provoque aussi la libération d'hormones, dont l'hormone de la satiété (cholécystokinine). Ce signal provoque à la fois un désintéressement pour la nourriture et un sentiment de bien-être indiquant qu'il est temps de cesser de manger. Vous arrive-t-il de ressentir ce sentiment de bien-être après avoir mangé un repas? Avez-vous l'habitude de terminer alors votre repas? Ou poursuivez-vous jusqu'à ce que vous ressentiez un malaise, vous faisant sentir «trop plein»?

Certaines personnes souffrant de compulsion alimentaire disent ne pas ressentir la satiété. Il arrive que cette situation soit associée à un dérèglement hormonal (hormone de la satiété)[11]. Comme la réponse du cerveau signalant la satiété peut prendre jusqu'à 20 min avant d'être perçue, prendre l'habitude de manger plus lentement peut vous aider à mieux ressentir ces signaux.

Voici une échelle qui peut vous permettre d'identifier votre degré de satiété après un repas.

À la fin d'un repas, je me sens habituellement:

1. Affamé
2. Légèrement rassasié
3. Plutôt rassasié
4. Parfaitement rassasié
5. Légèrement trop rempli
6. Vraiment trop rempli
7. Nauséeux, tant j'ai mangé

Idéalement, à la fin d'un repas, vous devriez être à 4, donc parfaitement rassasié. Il n'est pas normal de se retrouver fréquemment dans les valeurs 6 ou 7. Cela pourrait dénoter que vous avez de la difficulté à interpréter vos signaux de satiété ou à les respecter.

Voici une anecdote qui illustre bien ce phénomène. Il y a quelques temps, je suis allée à Chicago avec une collègue pour un congrès. Aux heures de repas, nous nous retrouvions et mangions ensemble au restaurant. Nous avions constaté que peu importe l'endroit où nous allions, les portions servies étaient gigantesques. Les assiettes nettement plus grandes que celles que nous avions l'habitude de voir contenaient une montagne de nourriture, et les verres étaient de véritables petits tonneaux de breuvage. Je n'arrivais jamais à terminer mon assiette et devais laisser le reste.

Après quelques repas, ma collègue, médecin hongrois, m'a confié que jusqu'au moment où elle avait quitté la maison familiale, elle n'avait jamais eu le droit de laisser quoi que ce soit dans son assiette. Le problème, c'est que toute sa vie, sa mère lui avait systématiquement servi plus de nourriture qu'elle en avait besoin. Si elle regimbait, sa mère lui disait d'un ton de reproche que cela signifiait qu'elle n'aimait pas sa cuisine. Mon amie avait donc appris à terminer son assiette, peu importe qu'elle ait encore faim ou non. Lorsque enfant elle avait commencé à faire de l'embonpoint, sa mère lui avait fait sentir que c'était de sa faute, et qu'elle devait suivre un régime. Mais après chaque régime, au lieu de maigrir, elle prenait quelques kilos de plus.

Ainsi avait commencé sa route chargée de culpabilité et de frustration. «Les gens qui savent quand s'arrêter de manger ont beaucoup de chance» m'avait-elle dit. «Moi, je ne sais même pas quand je n'ai plus faim. J'arrête de manger quand mon assiette est vide.» À quelques variantes près, je suis certaine que son cas n'est pas unique. Pour toutes sortes de raisons, de nombreuses personnes perdent de leur «acuité sensorielle». Elles ne ressentent pas ou peu les signes de la satiété. Elles se retrouvent fréquemment à 5, 6 ou 7 sur l'échelle de la satiété et se rendent compte «trop tard» qu'elles n'ont plus faim. Ces personnes ont donc tendance à consommer plus de nourriture que nécessaire.

L'inverse aussi est problématique. Il n'est pas non plus normal d'obtenir régulièrement des valeurs de 1 ou 2 à la fin d'un repas. Vos repas doivent vous nourrir convenablement et vous rassasier. Si vous ne vous sentez pas rassasié après avoir mangé votre repas, il est important de savoir si c'est parce que vous avez encore faim (auquel cas il ne faut pas hésiter à manger davantage) ou plutôt parce que vous avez simplement envie de manger. Si c'est le cas, et si vous savez que la quantité de nourriture que vous avez mangée est suffisante pour répondre à vos besoins, vous éloigner de la table et entreprendre une autre activité pourra vous aider à passer à autre chose.

Vous avez faim? Mangez!

Manger quand on a faim est aussi important pour maigrir efficacement que de cesser de manger lorsqu'on n'a plus faim. La détection des signes précoces de la faim est une habileté à acquérir lorsque l'on veut travailler en accord avec son corps. Ignorer sa faim ou la combattre ne règlera pas un problème de poids. Il s'agit d'une stratégie inefficace à long terme pour maigrir, car elle n'agit pas sur le poids de consigne. Inévitablement, la personne va revenir à son poids de départ lorsqu'elle recommencera à manger normalement. Si elle persiste à se priver, d'autres signes apparaîtront. Le sentiment de privation, la culpabilité, la faim perpétuelle, l'irritabilité, les tricheries et les remords sont ce que l'on pourrait appeler des «signaux d'alarme» dans le processus de perte de poids. Contrairement à ce que l'on croit de l'amaigrissement, il n'est pas nécessaire de souffrir pour perdre du poids. Au contraire, ces manifestations signalent qu'une ou plusieurs des 3 lois naturelles ont été enfreintes.

En lisant et en discutant avec des gens autour de moi, j'ai été surprise de constater à quel point il était fréquent de sauter un repas pour perdre du poids. Avant d'adopter des habitudes alimentaires saines et de finalement perdre du poids, nombreux sont ceux qui m'ont dit avoir eu recours à cette méthode. Ces personnes combattaient alors leur faim pendant des heures et lorsqu'arrivait le prochain repas, dévoraient tout ce qui se trouvait devant eux. Finalement, au bout de la journée, elles avaient mangé encore plus qu'elles ne l'auraient fait en consommant trois repas équilibrés, et en prime elles avaient été fatiguées et irritables.

Par le signal de la faim, votre corps vous communique ses besoins. Si vous n'y répondez pas, il passera en mode «stockage de gras» (ralentissement du métabolisme, irritabilité, obsession pour la nourriture, épisodes boulimiques, etc.). En consommant une quantité suffisante d'énergie, votre corps passera du mode «stockage-de-gras-en-cas-de-famine» au mode «je-suis-rassasié-je-peux-brûler-l'excédent-de-mes-surplus». C'est précisément ce que vous recherchez en voulant abaisser votre consigne.

L'idée n'est pas de manger un repas complet dès que vous ressentez la moindre sensation de faim. Une collation saine peut aider à calmer ces signaux. Lorsque la faim redeviendra assez perceptible, sans toutefois devenir incontrôlable, il sera temps de manger un repas complet. Manger quand on a faim est agréable. Le plaisir ressenti indique qu'il était utile de manger à ce moment.

Il peut arriver que des gens ne ressentent pas la faim de façon aiguë. Comme ils ne ressentent pas leur estomac gargouiller ou ne perçoivent pas les tiraillements indiquant qu'il est temps de manger, il leur arrive de sauter un repas. Le déjeuner est le repas le plus souvent escamoté. Le matin, certaines personnes ont peu d'appétit et ne ressentent pas le besoin de manger. Cependant, leur corps a besoin d'énergie. Il se mettra donc en mode «stockage de gras». Il a été démontré que les personnes qui ne déjeunent pas sont généralement plus grasses que les autres[12]. Une équipe de chercheurs de Nashville a offert la même alimentation à deux groupes de personnes obèses, un groupe qui consommait l'ensemble des calories en deux repas (dîner et souper) et l'autre groupe qui consommait le même nombre de calories mais réparties en trois repas (déjeuner, dîner et souper). Les résultats ont montré que les individus qui consommaient un déjeuner on perdu plus de poids que ceux qui sautaient ce repas[13].

Il n'y a pas que les tiraillements de la faim pour indiquer qu'il est temps de manger. Votre organisme vous envoie aussi ces autres signaux: irritabilité, difficulté à vous concentrer, fatigue, tremblements, nervosité, étourdissements, maux de tête. En principe, mis à part la nuit, vous ne devriez jamais passer plus de 5 h sans manger.

Voici une échelle vous permettant de connaître l'intensité de votre faim au moment où vous décidez de manger.

1. Pas faim du tout
2. Faim à peine perceptible
3. Faim légère
4. Faim modérée
5. Faim assez intense
6. Faim très intense
7. Faim incontrôlable

Si vous attendez toujours que votre faim atteigne une intensité de 6 ou 7, il vous sera plus difficile de contrôler la quantité et la qualité de ce que vous mangerez. Manger lorsque le niveau d'intensité de la faim est encore confortable, assure d'apporter à votre organisme l'énergie dont il a besoin pour poursuivre ses activités, tout en restant en contrôle de la quantité et de la qualité des aliments que vous consommez.

Laissez-vous guider par votre intuition

J'ai récemment découvert un excellent livre s'intitulant «Intuitive Eating» (*Manger de façon intuitive*), écrit par deux diététistes, Evelyn Tribole et Elyse Resch[14]. Dans cet ouvrage, les auteures expliquent que chacun possède en lui la capacité de manger de façon intuitive lui permettant d'atteindre et de maintenir son poids-santé. Ainsi, en apprenant à écouter les signaux de faim et de satiété que vous envoie votre organisme, vous devriez développer une connaissance claire des besoins de votre corps, vous permettant d'y répondre adéquatement.

Evelyn Tribole et Elyse Resch expliquent que lorsqu'une personne cherche à reprendre contact avec les messages que lui envoie son corps, elle doit se concentrer sur ses sensations et prendre le temps de ressentir les changements se passant dans son corps et dans ses pensées. Il s'agit d'une phase d'«hyperconscience» pendant laquelle la personne réapprendra à écouter ses sens. Avec le temps, ces étapes deviendront des automatismes. Réapprendre à manger pour combler les besoins de son corps ressemble à l'apprentissage de la conduite automobile. Au début, pour l'apprenti conducteur, le simple fait de sortir la voiture de l'entrée exige un effort conscient pendant lequel il doit porter attention à une foule de détails. Avec la pratique, ces gestes deviendront plus naturels pour lui, et exigeront moins d'efforts conscients de sa part. La même chose se produit chez la personne qui apprend à identifier les signaux internes de faim et de satiété.

Cette phase nécessaire permettrait de reprendre contact avec des sensations que vous n'avez peut-être pas ressenties depuis longtemps.

De retour au pays des sensations

Lorsque l'expédition d'alpinisme à laquelle j'avais pris part en Himalaya s'est terminée, j'ai vécu une expérience sensorielle extraordinaire. Je venais de passer 4 mois sur un glacier à 5200 m d'altitude, où tout n'était que glace, neige et roc. Un paysage quasi lunaire, d'une beauté et d'une dureté incomparable. Après un hiver passé sur le K2, nous devions à présent refaire à pied un périple de 250 km, qui nous séparait de l'endroit où nous devions prendre un petit avion pour retourner à la civilisation pakistanaise. Notre parcours sinuait sur le glacier Baltoro, puis après quelques jours débouchait sur le flanc de montagnes sans noms.

J'ai redécouvert, au fur et à mesure que nous descendions vers la vallée, la douce chaleur du soleil sur la pierre, l'odeur de la terre humide, le thé sucré offert par ces paysans dans leur hutte de terre enfumée. Mon corps était épuisé mais mes sens n'avaient jamais été aussi en alerte. Je percevais la moindre sensation avec une intensité inhabituelle.

J'imagine que sans le savoir, j'ai vécu à ce moment ce que les auteurs Tribole et Resch appelaient un peu plus tôt, une phase «d'hyperconscience» sensorielle. Par le biais de mes sensations renouvelées, je reprenais contact avec mon corps et mon environnement.

Reprendre contact avec votre corps ne nécessitera évidemment pas une expédition en Himalaya. Mais un peu comme je l'ai vécu, vous devrez vous aussi redécouvrir vos cinq sens. Il vous sera peut-être nécessaire de commencer progressivement, particulièrement si vous suivez des régimes depuis longtemps. Le fait de sauter des repas, la privation de nourriture chronique et les épisodes de compulsion alimentaire qu'ils peuvent engendrer, ont peut-être contribué à brouiller vos signaux internes.

Soyez patient. Prenez goût à cette aventure des sens.

La compulsion alimentaire

J'ai décidé de consacrer un passage de ce livre à la compulsion alimentaire après avoir appris qu'environ 30% des femmes qui désiraient perdre du poids souffraient de ce problème, par opposition à 1% des femmes en général[1,6]. Ces personnes ont alors deux problèmes à régler: perdre du poids et se libérer d'une obsession pour la nourriture. La compulsion alimentaire est caractérisée par la consommation excessive d'aliments en un court laps de temps. Elle est souvent associée à un sentiment de perte de contrôle. La compulsion alimentaire diffère de la boulimie par le fait qu'elle n'est habituellement pas suivie de purgations (ex. vomissements, abus de laxatifs, exercice physique intense).

Certains auteurs et personnes qui souffrent de compulsion alimentaire comparent la compulsion alimentaire à l'alcoolisme. Les personnes luttant avec l'un ou l'autre de ces problèmes de comportement disent souvent qu'elles ont recours à cette tactique (soit la consommation excessive de nourriture ou d'alcool) pour répondre à un besoin de se sentir mieux, un désir d'engourdir leurs émotions ou d'éliminer leur douleur de vivre.

La plupart des cliniciens croient qu'il est préférable de traiter la compulsion alimentaire avant de s'attaquer au problème de poids[5]. Habituellement, le simple fait de contrôler le problème de compulsion alimentaire induit une perte de poids. Une fois ce comportement sous contrôle, il est probable que la personne soit plus réceptive à l'intégration d'habitudes de vie saine, comme l'adoption d'une alimentation équilibrée et la pratique d'activité physique.

L'histoire de Bill B: ex-mangeur compulsif

Je lisais récemment le best-seller «Manger ses émotions» écrit par un avocat américain, Bill B., qui a réussi à maîtriser ses problèmes de compulsion alimentaire[2]. L'élément déclencheur, dans son cas, a été l'adhésion à un groupe de soutien appelé Outremangeurs Anonymes. Ce programme d'aide fondé en 1960, se base sur les mêmes 12 étapes que le programme des Alcooliques Anonymes (AA). Dans les deux cas, ces étapes sont proposées à titre de suggestion et ne sont pas obligatoires.

Dans ce livre relatant son combat contre la compulsion alimentaire, l'auteur explique comment il en est venu à maîtriser cette obsession pour la nourriture et à perdre pour de bon 37 kg (80 lb). Son obsession pour la nourriture était telle que, lorsqu'il avait un rendez-vous d'affaire à l'heure du dîner, il fallait d'abord qu'il aille manger avant de se rendre au restaurant. Sinon, il aurait été incapable de se concentrer sur son interlocuteur. Une fois devant son client, il se commandait un autre repas et était ainsi capable de s'asseoir, parler et manger en même temps. Au travail, il planifiait ce qu'il allait manger tout au long de la

155

soirée. Lorsqu'il commençait à manger quoi que ce soit, il fallait qu'il le finisse coûte que coûte, même s'il n'avait plus faim. Laisser des aliments dans son assiette était une chose impensable pour lui.

Son cheminement vers la guérison s'est échelonné sur plusieurs étapes. D'abord, grâce à l'écoute des membres du groupe, au soutien des intervenants et à un régime alimentaire plus équilibré, il a réussi en quelques mois à perdre son surplus de poids. Il a ensuite réussi à maintenir cette perte de poids pendant environ 3 ans. Mais, un jour, il s'est rendu compte que malgré cet immense progrès, il ne s'était toujours pas libéré de son obsession pour la nourriture. L'intervenant qui le parrainait chez Outremangeurs Anonymes lui a alors donné ce qui semble être le conseil qui lui a progressivement permis de maîtriser cette obsession. Il fallait apprendre *à cesser* de manger.

Tout peut commencer avec un haricot

L'intervenant en question lui a d'abord fait remarquer qu'il mangeait encore toujours tout ce qu'il y avait dans son assiette. Pour lui apprendre à cesser de manger et à prendre contrôle de son alimentation, il a demandé à Bill B. de laisser un haricot dans son assiette au cours de son prochain repas. L'auteur avoue que cela a été pour lui, la chose la plus difficile à faire. Il était alors convaincu qu'il ne serait jamais capable de laisser la moindre particule de nourriture dans son assiette. Mais il l'a fait. Le lendemain, on lui a demandé de laisser un morceau de légume et un petit morceau de viande dans son assiette. Peu à peu, il a ainsi réalisé qu'il était capable de laisser quelque chose dans son assiette, sans se sentir affamé. La nourriture n'exerçait plus le même pouvoir sur lui. C'était maintenant lui qui exerçait un pouvoir sur elle. Graduellement, il s'est rendu compte qu'il pouvait éloigner des aliments de son assiette, décider ou non s'il allait manger un aliment, et, cesser de manger lorsqu'il n'avait plus faim.

Comment parvenir à ce contrôle? L'auteur affirme qu'il suffit de le faire, tout simplement! Ainsi, tout peut commencer en laissant un haricot, un pois ou un morceau de carotte dans son assiette.

Cette méthode bien que très simple, peut servir de point de départ à une personne souffrant de compulsion alimentaire. Petit à petit, elle recommencera à percevoir les signaux de satiété lui indiquant qu'elle a assez mangé. Pour certaines, il faudra littéralement réapprendre à écouter les messages de leur corps indiquant qu'elles sont rassasiées. Cette rééducation sera essentielle au bon fonctionnement de leur régulateur de gras. En effet, plus elles seront à l'écoute de leurs messages de satiété, meilleures seront leurs chances de répondre aux besoins réels de leur corps. Avec le temps, il deviendra aussi plus facile pour ces personnes d'évaluer la quantité de nourriture qu'il est nécessaire de mettre dans leur assiette.

Certains pourront toutefois avoir besoin d'aide et de soutien additionnels pour contrôler leur problème de compulsion alimentaire. Des professionnels de la santé et du comportement spécialisés dans les troubles alimentaires ou encore certains groupes d'entraide, peuvent offrir une aide précieuse.

D'où vient la compulsion alimentaire.

La compulsion alimentaire ne peut être expliquée simplement par un manque de contrôle sur le comportement alimentaire. La compulsion alimentaire pourrait être un des mécanismes déployés par le corps pour retourner à son poids de consigne. À l'Université Yale au Connecticut, une recherche vient de révéler que 65% des personnes souffrant de compulsion alimentaire ont commencé après avoir suivi une diète très faible en calories[8]. Il est possible que le corps réagisse à cette «famine» en déclenchant un épisode de compulsion alimentaire qui aurait pour effet de retourner au poids de consigne. Le corps lutte littéralement pour retourner à son poids d'origine. Il s'agit de l'explication la plus «biologique» de ce problème.

Selon certains cliniciens, le comportement boulimique (parent avec la compulsion alimentaire) serait initié et maintenu par la privation de nourriture. Il est donc nécessaire de mettre l'emphase sur l'éducation en nutrition (principes de base en nutrition, besoins nutritifs personnels, relation entre privation de nourriture et crises boulimiques) et sur l'importance de consommer 3 repas par jour pour éviter les fringales incontrôlables[10].

Pour de nombreuses personnes, toutefois, la compulsion alimentaire trouve sa source ailleurs que dans un simple besoin physiologique. En effet, 35% des individus rapportent que les épisodes de compulsion alimentaire ont précédé leur première diète amaigrissante[8]. Pour certaines personnes, la compulsion alimentaire fait suite à des états d'âmes plutôt qu'à des périodes de restriction alimentaire. Cela suggère une dimension *psychologique* à la compulsion alimentaire. En effet, qui n'a pas déjà essayé de se réconforter en mangeant après avoir appris une mauvaise nouvelle ou grignoté nerveusement en attendant un événement stressant? Il peut s'agir d'une simple réponse à un stress, et non de réelle compulsion alimentaire. La réelle compulsion alimentaire peut être un effort de votre corps pour trouver un certain soulagement psychologique. Toutefois, cette réponse correctrice est inadaptée et ne soulage que temporairement les émotions telles l'anxiété, la colère ou la tristesse.

Les deux dimensions physiologique et psychologique de la compulsion alimentaire cohabiteraient fréquemment chez une même personne.

Mettez des mots sur vos émotions

Que vous soyez aux prises ou non avec un problème de compulsion alimentaire, réapprendre à manger sainement peut éveiller en vous des émotions, des craintes. Il peut arriver que vous vous sentiez submergé par l'anxiété, le doute ou le découragement. Au lieu de vous diriger vers le frigo, prenez le temps d'écrire ce que vous ressentez. Ce peut être dans un journal intime ou sur vos feuilles *«Je mets des mots sur mes émotions»* (dans la section «*Vos outils»*). Quelques minutes peuvent suffire pour consigner par écrit vos problèmes, vos pensées et traduire en mots les émotions qui vous habitent. Ce simple exercice peut vous aider à prendre du recul par rapport à la situation que vous vivez et vous apaiser.

En prenant le temps d'écrire ce qui se passe, il vous sera plus facile de comprendre les événements, et vos réactions face à ces événements. Il peut alors devenir plus simple d'identifier des solutions à ces difficultés. Une fois votre expérience sur papier, prenez quelques instants pour formuler au bas de la page, trois choses que vous pouvez faire pour vous aider à surmonter ces obstacles. Il a été démontré que cet exercice pouvait avoir des effets bénéfiques sur la santé physique et mentale et faciliter le passage d'étapes de vie stressantes[7].

Apprenez à reconnaître vos signaux internes et à les respecter : un témoignage.

Apprendre à dissocier les émotions de la nourriture et à respecter les signaux de satiété sont des habiletés que cette jeune femme a acquises et qui lui ont permis d'atteindre son poids-santé. Elle le maintient depuis maintenant 10 ans.

Isabelle C., 37 ans

Depuis ma tendre enfance, j'avais appris à donner pour être aimée. Mes parents étant propriétaires d'un restaurant attenant à la maison, j'avais accès à toutes sortes de friandises que je me sentais obligée d'offrir pour me faire des amis. À 11 ans je pesais 144 livres (66,4 kg). Je me souviens de l'humiliation ressentie à l'école. Je n'étais jamais repêchée pour les sports d'équipe, ni même pour les activités du cours de français dans lesquelles j'excellais pourtant.

Toutes les émotions ressenties, que ce soit de la frustration, de la tristesse, de la joie ou de l'ennui étaient pour moi une bonne occasion de manger. Plus je ressentais d'émotions, plus je mangeais. J'appelle cela «mon pansement alimentaire». En arrivant de l'école je mangeais en attendant l'heure du souper, je prenais ensuite mon repas, puis en soirée en regardant la télévision, je prenais une collation composée de chips, chocolat, arachides et boisson gazeuse. Je me souviens d'un certain soir où j'avais mangé avec passion mes rôties au «Cheez-Whiz». La gourmandise l'avait emporté sur la raison et j'avais été malade durant la nuit. Le lendemain matin se trouva malgré tout au menu pour le déjeuner ... des rôties au «Cheez-Whiz»!

Adolescente, les quelques dollars que je parvenais à gagner par semaine en gardant des enfants étaient utilisés pour m'acheter de la poutine. Les garçons ne s'intéressaient alors pas à moi et j'en souf-frais beaucoup. Je me découvre à cette époque un talent inné pour le chant et le piano dans lesquels je peux m'évader et laisser passer quelques émotions. C'est à ce moment que je me joins à un groupe de musiciens. Cependant, mon apparence physique continue de me hanter et conditionne toutes mes activités. Je n'apprends pas à patiner, ni à nager et je danse rarement, bien que j'aurais aimé joindre les autres jeunes de mon âge. J'aurais bien voulu aussi porter des vêtements à la mode mais ma mère devait me confectionner des vêtements sur mesures.

Adulte, j'ai décidé de perdre du poids à l'aide d'une diète aux protéines liquides. En 1 an et demi, j'ai perdu 63 lb (29 kg). Neuf mois plus tard, j'avais repris 91 lb (41,9 kg). J'ai aussi essayé des substituts de repas sous forme de lait frappé et une diète à base de soupe aux choux. Sans succès. Mon poids monte alors à 232 lb (106,9 kg). Ma santé était malgré tout plutôt bonne, mais j'avais une piètre estime de moi-même et je me sentais très seule, toujours exclue.

Un jour ma sœur qui avait alors perdu du poids en adoptant une alimentation basée sur le Guide alimentaire canadien me suggère d'essayer ce programme. Après mûre réflexion, j'ai décidé de tenter ma chance. La veille de mon entrée dans le programme, j'ai mangé ce que j'aimais le plus: pizza, poutine et lasagne, de peur d'avoir faim au cours de cette diète. La crainte de devoir me peser devant un groupe ou d'avoir à faire un témoignage public me rendait aussi très nerveuse. Cependant le programme que je venais de choisir n'avait pas recours à ces méthodes, et je suis rapidement devenue à l'aise dans ce groupe. Dès lors on m'a appris à varier mon menu, à respecter certaines portions et à introduire de nouveaux aliments dans mon alimentation. On m'a aussi montré l'importance de prendre en note tout ce que je mangeais. J'ai ainsi pris conscience des quantités que je consommais ce qui me permettait de me réajuster le lendemain au besoin. Pour ajouter au plaisir du repas, je m'offre maintenant en tout temps une jolie assiette bien remplie et colorée. En plus des portions indiquées pour mon repas, j'ai appris à garnir mon assiette d'aliments plus faibles en calories. Une telle assiette me procure du plaisir et me rassasie entièrement.

Graduellement, grâce à cette nouvelle alimentation, je me suis mise à perdre du poids. Toutefois après quelques mois, sans raison apparente, j'ai cessé de maigrir. Pendant 6 semaines, je ne perdais plus de poids. J'étais déçue mais j'ai décidé de persévérer. Sans changer quoi que ce soit à mon programme, après 6 semaines de plateau, j'ai recommencé à maigrir. Je suis ensuite devenue enceinte et en ai profité pour cesser de fumer. J'ai accouché d'un garçon en parfaite santé. Ayant repris près de 30 livres (13,6 kg) durant ma grossesse,

*j'ai recommencé à suivre l'alimentation qui m'avait permis de maigrir.
Neuf mois plus tard, j'avais retrouvé mon poids d'équilibre qui se
situe entre 130 et 135 lb (59,9 à 62,2 kg). Je maintiens cette perte
de poids d'une centaine de livres (env. 46 kg) depuis maintenant près
de 10 ans.*

*Moi qui ne cuisinais pratiquement jamais, ma nouvelle alimentation
m'a fait me découvrir une passion pour la cuisine. Prendre le temps
de préparer de bons repas pour moi, ma famille et mes amis me
procure beaucoup de satisfaction. Les réceptions sont une occasion
pour moi de faire valoir mes nouveaux talents culinaires. Je travaille
à présent comme conférencière dans le cadre du programme d'amaigrissement que j'ai suivi. Je suis très satisfaite de mon choix et
aujourd'hui j'aide beaucoup de gens qui, comme moi, veulent réussir
à atteindre leur poids-santé.*

Prenez le temps de vous écouter pour mieux maigrir

Peu importe la méthode que vous emploierez pour reprendre contact
avec vos signaux de satiété et de faim, l'important est d'avoir confiance en vos
capacités à répondre aux besoins de votre organisme. Si vous étiez habitué à
vous priver de nourriture et à bloquer les messages que vous envoient votre
corps, il pourra être utile de travailler sur *un seul objectif à la fois*. Par exemple,
vous pourriez décider dans un premier temps, de faire au moins deux courtes
poses au cours de chaque repas pour vous interroger sur votre niveau de satiété. Lorsque ce comportement sera acquis et que vous vous sentirez en mesure
de reconnaître votre niveau de satiété, vous pourriez décider de cesser de
manger dès que vous vous sentez rassasié, même s'il reste des aliments dans
votre assiette. Enfin, un autre objectif pourrait être de manger lorsque vous ressentez la faim sans attendre que votre appétit soit devenu incontrôlable.

Prenez le temps de bien maîtriser une habileté avant de passer à un
autre objectif. Il est normal que si vous vous alimentiez depuis des années en
fonction de facteurs externes ou en réponse à des émotions, qu'il faille du temps
pour retrouver l'habitude de vous nourrir en écoutant votre corps. En apprenant
à identifier la faim et la satiété, mais surtout en respectant ces besoins exprimés
par votre corps, vous participerez activement à la régulation de votre poids.

Souvenez-vous de l'habileté des animaux sauvages et des jeunes enfants à manger précisément la quantité de nourriture nécessaire à leurs besoins. Il ne s'agit pas d'une habileté «surnaturelle» mais bien d'une habileté toute naturelle que vous pouvez aussi développer.

Honorez votre engagement

Cinquième principe

Vous avez vu dans le premier principe (*Endossez le changement*) que la pierre angulaire de l'amaigrissement était l'engagement. En effet, votre engagement vous a ouvert la porte du changement. C'est à partir de cette volonté d'introduire des changements durables dans votre vie, qu'ont pu se greffer les autres principes. Chacun à sa façon, les quatre premiers principes vous ont ainsi guidé dans la phase d'amaigrissement.

Une fois que vous aurez abaissé votre consigne et maigri, il sera important de penser à ce qui viendra après. En effet, tous vos efforts seront réduits à néant si vous ne développez pas les habiletés nécessaires pour *maintenir* votre perte de poids. Vous verrez dans ce cinquième et dernier principe, que pour conserver votre poids-santé il vous faudra *honorer votre engagement*. C'est-à-dire, entretenir les habitudes qui vous ont permis de maigrir.

L'intégrité, la clé du maintien

Si l'engagement est la pierre angulaire de la perte de poids, l'*intégrité* est la clé du maintien. Être intègre ne signifie pas être parfait, mais être fidèle à soi-même, à ses objectifs. Maintenir votre perte de poids n'exigera donc pas de vous une démarche parfaite. Vous devrez cependant vous appliquer, jour après jour, à suivre la direction que vous aurez choisie. Cela demandera de votre part, de la motivation pour demeurer dans le droit chemin et de la volonté pour y revenir après quelques «écarts» de conduite. Être fidèle à vous-même consistera donc à faire des efforts renouvelés pour maintenir les changements que vous seul aurez choisi d'incorporer dans votre vie.

Comme vous l'avez vu dans le premier principe, les sources de motivation les plus profondes et durables sont celles qui découlent de nos valeurs et convictions personnelles. Ce sont ces valeurs auxquelles nous nous rapportons en cas de doute qui nous permettent de résister aux influences de notre environnement. De cette façon, nous pouvons répondre aux tentations en fonction d'un plan précis — notre système de valeurs — plutôt que de céder aux impulsions et aux occasions qui se présentent. C'est de cette façon que nous serons fidèles à nous-mêmes.

Concrètement, votre intégrité s'exprime par votre capacité à délaisser certains plaisirs immédiats au profit de plaisirs différés (ou à long terme). Par exemple lorsque vous résistez à la tentation de regarder la télévision au lieu d'aller faire de l'exercice. Ce faisant, vous choisissez d'agir en fonction de vos objectifs (maintenir votre poids-santé) au lieu de céder à un désir passager. Votre comportement reflète alors une série de choix, et non une série de réactions.

La phase de maintien: une promesse qui se renouvelle

En débutant ce livre, vous vous êtes fait une promesse, celle de changer les habitudes qui ont mené au gain de poids (Premier principe: *endossez le changement*).

Je considère qu'il existe deux types de promesses; les promesses ponctuelles et les promesses perpétuelles. Par *ponctuelle*, j'entends une promesse qui, une fois remplie, fait se dissoudre l'engagement qui scellait l'entente. Comme lorsque vous promettez à quelqu'un de lui téléphoner à une heure précise. Une fois cet appel donné, l'engagement qui vous liait se dissout. À l'inverse, il existe des promesses *perpétuelles*, c'est-à-dire, des promesses qui se renouvellent continuellement. Elles impliquent un travail quotidien, un investissement de temps et d'énergie.

Or, dans l'esprit de bien des gens, maigrir est une promesse ponctuelle que l'on remplit. Ces personnes ne réalisent pas que maintenir un poids-santé réfère à un processus actif qui dure toute la vie. Par le biais de ce cinquième principe: «*Honorez votre engagement*», je vous montre que pour réussir, le maintien d'habitudes de vie saines doit faire l'objet d'une promesse perpétuelle. Ce type de promesses est plus exigeant en terme de temps et d'énergie. Cependant elles ont l'avantage de s'auto-renforcer. Ainsi, le fait de tenir votre promesse (ex. marcher tous les jours) génère des retombées positives (ex. bien-être, maintien de votre perte de poids) qui ont pour effet de renouveler votre engagement. Un engagement bien vivant vous encouragera en retour à tenir votre promesse.

7 façons d'honorer votre engagement

Nombreuses sont les personnes qui, lorsqu'elles ont atteint leur objectif d'amaigrissement, perdent leur motivation. Elles se retrouvent du jour au lendemain sans but précis, et leurs efforts semblent perdre leur sens. Cette démotivation vient en partie du fait que personne ne les prépare pour cette transition. Une fois l'objectif atteint, les gens sont littéralement laissés à eux-mêmes et à leurs anciennes habitudes. Celles-là même qui ont contribué à leur embonpoint.

Les prochaines pages peuvent faciliter votre transition de la phase de perte de poids vers celle du maintien. Elles présentent des actions concrètes que vous pouvez entreprendre au quotidien. Vous retrouverez parmi ces actions certains éléments vus plus tôt, mais cette fois, adaptés à la phase de maintien.

Voici donc, sept façons de demeurer fidèle à vos objectifs en *honorant votre engagement*:

1. En faisant du maintien de votre perte de poids votre nouvel objectif;

2. En maintenant une alimentation saine et équilibrée;

3. En faisant de l'exercice aussi souvent que possible;

4. En respectant vos signaux de faim et de satiété;

5. En utilisant vos outils;

6. En développant vos ressources personnelles;

*7. En maximisant votre satisfaction.

Voyons maintenant plus en profondeur chacune de ces pratiques.

1. Faites du maintien de votre perte de poids votre nouvel objectif

Maintenir un poids-santé exige un certain travail, de la même façon que de maintenir une maison propre et rangée demande un minimum d'entretien. En effet, vous ne pouvez espérer que votre maison demeure propre et rangée, à vie, du simple fait que vous ayez fait le grand ménage du printemps cette année. Pour réussir là où la plupart échouent, il faut entretenir les habitudes qui vous ont permis de maigrir.

Formulez vos objectifs de maintien

Pour faciliter le maintien de vos nouvelles habitudes de vie, vous pouvez commencer par identifier les circonstances pendant lesquelles vous avez tendance à dévier de vos bonnes habitudes. Ces circonstances peuvent être liées à un endroit, à des gens ou encore à des émotions. Le simple fait d'identifier ces circonstances peut vous aider à être mieux préparé mentalement lorsqu'elles se présenteront. Vous pouvez aussi limiter l'impact de ces événements en agissant sur votre environnement. Par exemple, si vous avez tendance à manger beaucoup lorsque vous allez au restaurant, vous pouvez choisir un endroit où la cuisine servie est plus faible en matières grasses. Si c'est plutôt lorsque vous êtes en groupe, essayez d'arriver à la réunion ou à la réception sans avoir l'estomac dans les talons.

Des études ont révélé que les femmes feraient davantage d'excès de table en réponses à leurs émotions, tandis que les hommes auraient plutôt tendance à le faire lorsqu'ils sont en groupe[7]. En portant attention aux facteurs qui déclenchent chez vous une surconsommation de nourriture, vous serez davantage en mesure de choisir la qualité et la quantité de nourriture que vous consommerez dans ces circonstances.

Un autre outil tout simple pour demeurer motivé à maintenir votre poids-santé, est la formulation par écrit d'objectifs spécifiques. Tout comme votre objectif de perte de poids se devait d'être précis, réaliste et quantifiable, les objectifs visant à maintenir votre perte de poids doivent aussi être réalistes, précis et quantifiables. Ainsi, il peut être utile pendant un certain temps de mettre sur papier les objectifs spécifiques quotidiens qui vous permettront de conserver votre poids-santé et les moyens par lesquels vous entendez atteindre ces objectifs. Vous pouvez inscrire ces objectifs sur la feuille prévue à cet effet dans «*Vos outils*».

Voici quelques exemples d'objectifs vous aidant à maintenir votre perte de poids:

Aujourd'hui, pour m'aider à maintenir un tour de taille de 34 po (75 cm), je m'engage à:

- descendre un arrêt d'autobus plus tôt et marcher
- choisir le menu-santé de la cafétéria plutôt que le menu régulier
- faire mon entraînement au centre de conditionnement physique
- noter ce que je mange et l'exercice que je fais

Aujourd'hui, pour m'aider à maintenir ma perte de poids, je m'engage à:

- manger un muffin santé pendant la pause plutôt qu'un beigne
- utiliser seulement les escaliers (pas d'ascenseur)
- laisser des aliments dans mon assiette si je n'ai plus faim

Aujourd'hui, pour m'aider à contrôler mon diabète et maintenir mon poids-santé, je m'engage à:

- marcher pour aller au travail
- prendre le temps de m'asseoir pour manger et savourer mon repas
- manger toutes les portions recommandées par la diététiste dans chacun des 4 groupes alimentaires
- apporter un fruit et un yogourt pour ma collation plutôt que d'acheter quelque chose provenant d'une distributrice

Aujourd'hui, pour m'aider à garder un corps tonifié et en santé, je m'engage à:

- suivre mon vidéo d'aérobie
- prendre le temps de manger lentement
- écrire ce que je ressens à propos de mes nouvelles résolutions
- consommer un nouveau produit céréalier à grains entiers

Les objectifs peuvent aussi être prévus pour la semaine. Par exemple:

Cette semaine, pour me donner toutes les chances de maintenir mon nouveau poids-santé, je m'engage à:

- déjeuner tous les matins
- prendre seulement un repas au restaurant
- terminer mon repas lorsque je sens mon estomac confortablement rempli
- faire 3 entraînements de 30 min (chacun 10 min de musculation et 20 min de vélo stationnaire)

- acheter un seul contenant d'un litre de crème glacée
- remplir «Mon programme de la semaine» (dans la section «Vos outils»)

Si vous le désirez, inscrivez vos objectifs dans votre agenda. Ils deviennent alors des priorités dans votre emploi du temps. Ils peuvent également être inscrits sur une feuille bien en vue dans votre bureau ou encore dans votre cuisine. Cochez les objectifs au fur et à mesure qu'ils sont atteints. Le fait de prendre le temps de réfléchir à vos objectifs et de les inscrire renforce votre engagement et le fait d'atteindre ces objectifs, aussi simples soient-ils, confirme votre intégrité vis-à-vis de votre démarche.

Des recherches faites auprès d'individus qui tentaient de maintenir de nouvelles habitudes alimentaires montrent qu'*il est plus facile d'incorporer un comportement sain que d'éviter un «mauvais» comportement*[3]. Ainsi, il serait plus facile d'ajouter certains aliments dans votre alimentation (ex. fruits, légumes, grains entiers) que de réduire votre consommation d'aliments riches en énergie (ex. couper dans les desserts, la sauce, ou la viande). Il peut donc être intéressant d'orienter vos objectifs en fonction de comportements à ajouter plutôt que de comportements à éviter. Par exemple, vous pourriez avoir comme objectif de «manger au moins 1 légume et 1 fruit au dîner» au lieu de: «réduire ma portion de dessert».

Récompensez vos efforts

De la même façon qu'il était bénéfique d'instaurer un système de gratifications dans la phase de perte de poids, il sera tout aussi important de récompenser vos efforts de maintien de cette perte de poids. En effet, il serait plus efficace de récompenser le comportement souhaité que de punir celui que l'on veut éliminer[2]. Ainsi, si vous désirez maintenir un niveau d'activité physique élevé et encourager ce comportement, il sera plus efficace de vous récompenser lorsque vous réussissez à suivre votre programme d'exercice (ex. aller au cinéma en fin de semaine) que de vous infliger une punition si vous dérogez de votre programme (ex. sauter un repas ou vous autocritiquer). Le renforcement positif fait naître une motivation plus profonde et davantage de sentiments positifs chez la personne qui cherche à changer son comportement qu'un système punitif. Comme le but de la manœuvre est de vous faire apprécier une alimentation saine et l'exercice, il est important de développer une atmosphère positive et agréable autour de ces activités.

2. Maintenez une alimentation saine et équilibrée

Suivre les recommandations du Guide alimentaire canadien vous a aidé à maigrir en abaissant votre poids de consigne. Afin que vous puissiez maintenir votre perte de poids, il faudra vous assurer que votre consigne *demeure abaissée*. C'est ce que le Guide alimentaire canadien vous aidera à faire par la suite. J'aimerais vous rappeler que pour conserver votre perte de poids, votre alimentation doit vous procurer du plaisir. Elle doit être appétissante et savoureuse. Vous serez ainsi davantage motivé à la conserver. Des recherches ont montré qu'une telle alimentation serait non seulement agréable, elle augmenterait aussi la dépense énergétique[1,4,5]. Elle vous ferait littéralement brûler davantage de calories. Ces études soulignent l'importance du plaisir et de l'expérience sensorielle dans l'alimentation. Cette dimension est souvent mise de côté dans le cadre des régimes amaigrissants. De nombreuses diètes commerciales faibles en calories, sont en effet basées sur des repas monotones, présentés sous forme de barres, de sirops ou de laits frappés, et ne sont conçues que pour de courtes périodes. D'autres diètes, se voulant plus saines, bannissent complètement, le sel, le gras et le sucre, ce qui peut compromettre la saveur des aliments.

Encore le plaisir…

Vous aurez plus de facilité à maintenir votre perte de poids si vous vous permettez de temps à autre quelques petites gâteries. Des études ont révélé que les femmes ex-obèses qui démontrent une certaine flexibilité dans le contrôle de leur alimentation maintiennent plus facilement leur perte de poids que celles qui démontrent une attitude rigide[9]. Un contrôle trop rigide des habitudes alimentaires générerait à long terme un sentiment de privation, menant à l'abandon de la diète. À l'opposé, une certaine flexibilité dans le choix des aliments et des portions permettrait à l'individu d'adapter son alimentation selon les circonstances. De cette façon, la personne n'a pas le sentiment d'être esclave de sa diète. Elle peut ainsi se permettre quelques petits plaisirs de temps en temps et retourner à ses bonnes habitudes alimentaires le lendemain.

La plupart des personnes que j'ai interrogées et qui maintiennent leur perte de poids, m'ont dit ne pas avoir de liste d'aliments interdits. Depuis qu'elles se permettaient de petites gâteries, elles étaient moins obsédées par certains aliments et avaient tendance à en consommer en moins grandes quantités. Elles se sont toutefois dotées d'un système de contrôle minimal, c'est-à-dire, qu'elles n'achètent pas ces aliments fréquemment, ou lorsqu'elles le font, c'est en plus petites quantités.

Bref, pour réussir à maintenir votre perte de poids, il est important de conserver une alimentation qui gardera votre consigne abaissée. Mais tout aussi important, une alimentation qui vous procure du plaisir.

3. Faites de l'exercice aussi souvent que possible

L'autre stratégie pour maintenir votre consigne abaissée (et donc pour maintenir votre poids-santé), est de faire de l'exercice régulièrement. Une fois que vous aurez choisi une activité physique, faites en sorte d'en retirer le maximum de plaisir et d'emmagasiner cette information positive. Plus vous ferez une association entre l'exercice et votre bien-être (le plaisir, la satisfaction), plus vous aurez envie d'en faire. Ainsi, lorsque des tentations se présenteront et que vous serez tenté d'annuler votre séance d'exercice, essayez de vous souvenir des bons moments que l'activité physique vous fait vivre. Vous avez vu dans le chapitre précédent que pour reprendre contact avec vos signaux internes, vous deviez passer par une phase d'«hyperconscience» pendant laquelle tous vos sens étaient en alerte. Ceci peut s'appliquer à l'exercice aussi. En effet, il peut être bénéfique de vous efforcer de temps en temps de porter attention aux sensations positives que vous ressentez *pendant et après l'exercice*. Vous emmagasinerez ainsi de bons moments en vous concentrant sur des sentiments et des sensations, tels:

- La sensation d'évasion;
- La tension du travail qui s'efface et qui fait place à la bonne humeur;
- La sensation du vent et du soleil sur votre peau;
- La sensation de force qui se dégage de votre corps pendant l'exercice;
- Le sentiment de contrôle que vous ressentez vis-à-vis de votre corps;
- La complicité entre amis;
- La joie de vivre, vous avez le sentiment de «jouer» en faisant de l'exercice;
- La fierté ressentie lorsque vos performances s'améliorent;
- Le sentiment de détente après l'effort;
- Le sentiment du devoir accompli;
- La sensation de «bonne fatigue» qui accompagne un effort physique;
- La sensation de votre corps qui devient plus ferme, plus vigoureux.

Plus vous emmagasinerez de bons moments lorsque votre corps est en mouvement, plus vous aurez envie de bouger, et meilleures seront vos chances de maintenir votre perte de poids. Souvenez-vous que chaque fois que vous faites de l'exercice, même s'il ne s'agit au début que de courtes séances chaque semaine, vous contribuez activement à abaisser votre consigne et à la maintenir à cette nouvelle valeur inférieure. Aucun traitement de l'obésité ne permet de régler le problème sans changer les habitudes à l'origine du problème. Vos habitudes de vie saines contribueront à maintenir en fonction les mêmes processus métaboliques qui vous ont permis de maigrir.

4. Continuez de respecter vos signaux de faim et de satiété

L'utilité du quatrième principe «*Apprenez à reconnaître vos signaux internes et à les respecter*» n'est pas limitée à la phase d'amaigrissement. Rendu en phase de maintien, vous serez devenu familier avec ces signaux et il vous sera dorénavant naturel de guider votre comportement alimentaire en fonction de ce point de référence interne, plutôt qu'en fonction de facteurs externes ou de vos émotions. Le développement de cette habileté renforcera votre sentiment de compétence. En effet, le fait de maintenir votre poids-santé confirmera que vous détenez en vous tous les éléments de solution.

5. Utilisez vos outils

Au fil des chapitres, divers outils vous ont été présentés. Pour maintenir votre perte de poids, prenez l'habitude de les utiliser régulièrement. Revoici les principaux sous forme d'aide-mémoire:

- *Objectifs*. Doivent être réalistes, précis et quantifiables (Chap. 5). Photocopiez, en plusieurs exemplaires, la feuille d'objectifs (voir la section «*Vos outils*».
- *Pesée hebdomadaire* (voir recommandations au Chap. 5).
- *Tour de taille*. Excellent indicateur de vos progrès, particulièrement si vous avez tendance à accumuler votre excédent de poids dans la région abdominale.
- Liste d'épicerie de base (Chap. 7).
- Journal alimentaire (Chap. 7). Pour consigner par écrit ce que vous mangez chaque jour. À écrire dans un cahier, ou encore sur la feuille intitulée: Mon programme pour la semaine dans «*Vos Outils*». À photocopier (1 pour chaque semaine) et à remplir.
- Un menu de 5 jours pour toute la famille, adaptable à trois niveaux caloriques;1 600, 1 800, et 2 200 calories (Chap. 7). Les recettes sont dans «*Vos Outils*».

- Suggestions de livres de recettes basées sur le Guide alimentaire canadien («*Vos Outils*»).
- Exercices suggérés par Josée Lavigueur (Chap. 8).
- Échelle vous permettant d'évaluer votre niveau de satiété (Chap. 9).
- Échelle vous permettant d'évaluer l'intensité de votre faim (Chap. 9).
- Journal de vos émotions. Pour mettre en mots vos émotions et vous aider à trouver des solutions aux situations qui vous tracassent. À écrire dans un cahier, ou sur les feuilles prévues à cet effet dans «*Vos Outils*» (à photocopier).
- Ressources. Liste de programmes de perte de poids axés sur le Guide alimentaire canadien, livres de recettes et autres ouvrages, sites web, suggestions de vidéos de work-out (dans *«Vos Outils»), etc.

6. Développez vos ressources personnelles

Pour réussir à maintenir votre perte de poids, vous devez garder à l'esprit que l'agent de changement ce n'est pas la nourriture, ni l'exercice. C'est *vous*. Le succès de votre démarche, tout comme le succès de tout autre projet important, dépend en partie de votre capacité à puiser en vos ressources personnelles la force de continuer. En travaillant sur vous-même, vous aiguiserez vos facultés. Ce sont elles qui vous permettront d'atteindre vos objectifs. Pour ce faire, choisissez des activités qui vous plaisent: conférences, lecture, méditation, etc.

En cherchant à devenir un individu plus équilibré et en développant vos ressources personnelles, vous aurez plus de facilité à surmonter les épreuves qui se dresseront sur votre route et choisirez naturellement des solutions plus saines. Le fait d'employer vos énergies à une démarche plus large que le simple maintien de votre perte de poids, non seulement enrichit votre vie, mais réduit aussi la tension créée autour de cet unique objectif. Le succès de votre vie ne tient pas qu'à votre tour de taille. Vous pouvez être une personne aimée, épanouie et utile, indépendamment de votre poids. À vos objectifs de maintien quotidiens ou hebdomadaires, vous pourrez ajouter si vous le désirez, quelques objectifs visant le développement de l'une ou l'autre des quatre dimensions de votre personne (physique, émotionnelle, mentale et spirituelle).

À ce propos, j'ai inclus dans la section «*Vos Outils*», les références de quelques ouvrages aux thèmes aussi variés que l'estime de soi, les relations interpersonnelles, la compulsion alimentaire et l'intelligence émotionnelle. Ces livres que j'ai trouvé intéressants pourront peut-être enrichir vos ressources personnelles et contribuer indirectement à faciliter le maintien de votre perte de poids.

7. Maximisez votre satisfaction

Atteindre votre objectif de perte de poids est seulement l'une des deux dimensions de la réussite. L'autre dimension, tout aussi essentielle mais souvent sous-estimée, est d'*apprécier* cette perte de poids. Ne pas apprécier un objectif que vous avez atteint revient à ne pas l'avoir atteint du tout.

Plus vous serez satisfait d'un comportement (ex. faire de l'exercice), meilleures seront vos chances de le maintenir. Votre sentiment de satisfaction vous indiquera en effet que la décision initiale de modifier votre comportement a été bonne et que les efforts soutenus pour le conserver en valaient la peine[8].

Comment expliquer qu'une personne soit satisfaite d'un résultat donné mais non une autre? Parce que le succès est relatif. La satisfaction ressentie par un individu est davantage liée à *l'idée qu'il se fait de la réussite* qu'au résultat lui-même. Certaines personnes seront entièrement satisfaites d'une perte de poids modeste, tandis que d'autres seront profondément déçues par une perte de poids plus importante. D'autres encore seront satisfaites du poids qu'elles ont perdu mais déçues du peu d'impact de cet amaigrissement dans leur vie. Elles auraient espéré que leur nouvelle silhouette leur apporte un plus grand succès en amour ou en affaires, par exemple.

Il est en effet fréquent que des individus obèses idéalisent la vie des gens minces. Nombreux sont ceux qui croient que le fait de perdre du poids améliorera toutes les sphères de leur vie. Plus les attentes seront élevées, plus elles seront difficiles à combler et plus grands seront les risques de déception.

Certaines personnes obèses peuvent avoir des attentes démesurées vis-à-vis de ce que l'amaigrissement peut leur apporter. La prochaine étude illustre bien ce phénomène[6]. Des scientifiques ont cherché à connaître les sacrifices que des individus obèses étaient prêts à faire s'il leur était donné d'être mince en échange. De ce groupe, 43% des femmes étaient prêtes à laisser tomber un éventuel gain d'un million de dollars pour devenir minces (contre 26% des hommes), 46% étaient prêtes à réduire leurs revenus de moitié (contre 11% des hommes), 31% des femmes étaient prêtes à divorcer (contre 11% des hommes), 19% des femmes étaient prêtes à devenir diabétiques, 14% des femmes étaient prêtes à devenir aveugles, et enfin 8% des femmes obèses étaient prêtes à se faire amputer d'une jambe si on pouvait leur donner la minceur en échange. Dans cette étude, aucun homme n'avait envisagé le diabète, la cécité ou l'amputation pour accéder à la minceur.

L'ampleur de ces sacrifices s'accompagne inévitablement d'attentes d'égale importance. Ces gens espèrent probablement que la minceur leur apportera beaucoup: beauté, pouvoir, relations interpersonnelles exceptionnelles, etc. Que croyez-vous qu'il arrivera à ces personnes si, après des mois d'efforts constants, elles réussissent à maigrir, mais ne reçoivent pas autant de compliments qu'elles auraient souhaité. Si elles ne réussissent pas à briser leur isolement, ou encore, ne sont pas promues au poste convoité? Elles auront inévitablement l'impression d'avoir fait tout cela pour rien. Déçues, ces personnes risquent fort de retourner à leurs anciennes habitudes et reprendre le poids perdu.

En bref, pour maintenir de nouveaux comportements à long terme, vous devez être satisfait des résultats qui découlent de ce changement. Pour être satisfait, il vous faudra apprécier vos réussites à leur juste valeur et éviter les déceptions en entretenant des attentes réalistes à l'égard de ce que l'amaigrissement peut vous apporter.

Honorez votre engagement: deux témoignages

Remarquez comment ces personnes sont naturellement passées d'une démarche d'amaigrissement à celle de maintien de leur poids-santé. Elles ont honoré leur engagement en conservant les habitudes qui leur ont permis de maigrir.

Renée D., 39 ans

J'ai conservé un poids-santé jusqu'à la naissance de mes deux enfants. Durant ces années où je me suis occupée de mes jeunes enfants, j'ai pris très graduellement une trentaine de livres (env. 14 kg). J'avais alors 32 ans. Cet embonpoint m'empêchait de porter mes vêtements habituels. Moins en forme, j'étais aussi plus facilement essoufflée et je n'aimais pas ma nouvelle silhouette. J'ai d'abord essayé une diète aux protéines liquides ainsi qu'un régime à base de soupe aux choux mais j'ai rapidement repris le poids perdu et même quelques livres en plus! Je pesais alors 155 lb (71,4 kg). En réalité, j'étais étonnée d'avoir pris du poids car je faisais rarement des excès de table et mangeais rarement au restaurant. La friture ne m'intéressait pas particulièrement et bien que j'aimais les desserts, je n'en mangeais qu'en quantité modérée. Cependant, avec du recul, j'ai réalisé que je consommais près de deux fois la quantité recommandée de viande et que je mangeais peu de légumes et de fruits.

Ma sœur ayant perdu 60 lb (27,6 kg) en suivant un régime amaigrissant basé sur le Guide alimentaire canadien, j'ai alors décidé d'adhérer à ce programme. Aimant les desserts, je recherchais une alimentation me permettant une certaine souplesse de ce côté. Comparativement aux diètes hypocaloriques de 500 calories que j'avais essayées auparavant, cette nouvelle alimentation plus copieuse et équilibrée me semblait beaucoup plus satisfaisante.

Pour suivre les recommandations du Guide alimentaire canadien, j'ai dû apprendre à me servir des quantités moindres de viande et à limiter ma consommation de fromage riche en gras, chose que je ne faisais pas auparavant. J'ai aussi appris à inclure des fruits et légumes à chacun de mes repas et à choisir des produits laitiers plus faibles en gras, comme le yogourt allégé. Au cours d'un régime amaigrissant, il arrive que des carences en fer puissent survenir si l'alimentation n'est pas équilibrée. On nous recommandait donc de consommer des aliments riches en fer, comme le foie par exemple. N'étant pas amateure de foie, j'ai appris à cuisiner avec d'autres aliments riches en fer, tels les légumineuses (lentilles, pois chiches, etc.). Comme je travaille à l'extérieur, j'apprécie que les aliments qui composent maintenant mon alimentation soient faciles à trouver.

Depuis que j'ai perdu ce surplus de poids, j'ai de l'énergie à revendre! Mon nouveau travail de boulangère exige que je me lève vers 3h45-4h tous les matins. Cet horaire exigeant, je peux le maintenir grâce à cette nouvelle vigueur qui m'anime. Maintenant plus efficace au travail et à la maison, j'ai appris à faire davantage, en moins de temps. Pour économiser du temps, je consacre environ une demi-journée par semaine pour cuisiner deux repas et des desserts que je congèle pour le reste de la semaine. Bien que très occupée avec mon travail et ma famille, j'ai aussi entrepris de faire davantage d'exercice. Je faisais déjà un peu de patin l'hiver et parfois du vélo et de la balle molle l'été, mais je ne pratiquais aucune activité physique de façon régulière. Comme mes journées sont bien remplies, j'ai décidé de faire de l'exercice à la maison au lieu de me rendre à un centre de conditionnement physique. Trois fois par semaine, je fais soit de la course sur place pendant 20 à 30 min ou je fais une routine d'aérobie à l'aide d'un vidéo de «step» pendant 35 min. Il m'arrive aussi de faire du vélo en famille la fin de semaine. Je maintiens maintenant mon poids depuis 6 ans.

Yolande et Christian, 42 ans

Il y a trois ans, mon mari et moi avons entrepris de perdre du poids ensemble. Je pesais alors 197 lb (90,8 kg) et tentais de perdre du poids depuis près de 20 ans, soit depuis mon deuxième accouchement. J'avais essayé toutes les diètes mais toujours, je reprenais le poids perdu. Le matin, j'avais l'habitude de ne pas déjeuner, le midi je commandais un repas ou mangeais à l'extérieur et pour souper, je consommais beaucoup de viande, de sauces et très peu de légumes. En soirée, moment où je décompressais de ma journée de travail, je prenais une collation composée de chips et de chocolat devant la télévision. En y regardant de plus près, j'ai aussi réalisé que je mangeais davantage la fin de semaine. Je mangeais littéralement mes émotions.

Mon mari quant à lui, a commencé à souffrir d'embonpoint il y a 11 ans, lorsqu'il a cessé de fumer. Fumant alors 1 paquet de cigarettes par jour, la transition n'a pas été facile, et il a compensé en mangeant davantage de sucreries et de desserts. En soirée, il mangeait des chips en regardant la télévision et il lui arrivait de se resservir des restes du souper. Son poids est ainsi progressivement monté à 178 lb (82 kg).

D'un commun accord, nous avons décidé de suivre un programme d'amaigrissement incluant un programme d'activité physique et une alimentation basée sur le Guide alimentaire canadien. Le volet exercice a été un élément décisif pour Christian qui n'avait pas du tout envie de suivre une simple «diète». Pour moi, le fait que le volet alimentation s'inspire d'un outil comme le Guide alimentaire canadien qui est utilisé par les diététistes et les médecins, était rassurant. Ces 20 dernières années passées à suivre des diètes infructueuses m'avaient confirmé que les régimes miracles ne fonctionnaient pas et j'étais maintenant prête à faire des changements permanents dans mes habitudes de vie. J'ai aussi pu constater que les recettes suggérées étaient simples et rapides à préparer. Comme nous travaillions tous les deux à temps plein, il était important que la préparation des repas ne dépasse pas 30 min.

Intégrer ces nouvelles habitudes de vie ne s'est pas fait sans efforts et quelques concessions. Prendre le temps en soirée de préparer des lunchs pour le lendemain au travail, se rendre au centre de conditionnement physique 3 fois par semaine et réduire la consommation de chips et sucreries sont quelques exemples des changements que nous avons dû apprendre à intégrer au fil des semaines. Cependant, nous avons trouvé beaucoup de soutien et de motivation dans nos encouragements mutuels. Pour nous, un tel projet ne pouvait être vécu qu'à deux et nous apprécions vivre cette nouvelle expérience ensemble. La présence d'un entraîneur et l'encadrement offert par le centre de conditionnement physique ont aussi grandement contribué à notre motivation. Après quelques mois, j'ai maigri de 35 lb (16,1 kg) et Christian de 28 lb (12,9 kg). Nous maintenons encore tous les deux cette perte de poids.

S'alimenter sainement est maintenant devenu une habitude et nous n'avons plus envie de manger comme avant. Nous avons ainsi constaté qu'après les repas nous ne nous sentons pas alourdis comme avant et nous avons moins le goût de nous asseoir devant la télévision. Je peux même dire que bouger est maintenant devenu nécessaire pour moi. Le vélo, le golf et l'équitation que je pratique régulièrement, sont des activités qui m'offrent des moments de détente et d'évasion très appréciés. L'apparence physique étant importante dans mon *métier de représentante, je suis aussi beaucoup plus fière de l'image que je projette et j'ai davantage confiance en moi. Pour moi, la clé a été de ne plus me sentir coupable et d'arrêter de me priver de nourriture. Après 5 ou 6 semaines, bien manger et faire de l'exercice faisaient partie de notre routine. Depuis que nous avons entrepris ce virage santé, notre fils et notre fille, qui n'habitent plus la maison, ont aussi perdu 10 lb (4,6 kg) chacun. Impressionnés par nos résultats, ils ont voulu eux aussi changer leurs habitudes de vie et nous en sommes très heureux.*

Gardez la main sur le thermostat

À l'opposé du thermostat d'une pièce qui peut être réglé une fois pour toutes en une simple intervention, votre poids de consigne, pour demeurer abaissé, doit être activement maintenu à une valeur moindre. La partie n'est donc pas gagnée lorsque vous avez réussi à maigrir. Tout comme les gens dont vous avez lu les témoignages, vous devrez dorénavant maintenir les habitudes de vie qui ont mené à votre perte de poids. Ce dernier principe — *Honorez votre engagement* — met en évidence la nécessité de persévérer pour réussir. Chacun de vos comportements sains, que ce soit de manger lorsque vous avez faim, d'aller marcher pendant votre heure de dîner ou de consommer cinq portions de fruits et de légumes au cours de la journée, contribue activement à maintenir votre poids de consigne abaissé.

Une fois que vous aurez atteint et que vous maintiendrez votre poids-santé, vous constaterez que le plus grand gain dans cette aventure n'est pas tant d'avoir atteint votre objectif, que de vous savoir dorénavant capable de maintenir naturellement votre poids.

Mot de la fin

Il existe peut-être des recettes miracle pour maigrir, mais aucune pour *maintenir* la perte de poids. Le maintien du poids à long terme passe nécessairement par un changement de comportement.

Comme vous avez pu le constater, une telle démarche implique engagement, courage et intégrité. De l'engagement pour embrasser de nouvelles habitudes de vie, du courage et de l'intégrité pour maintenir ces nouveaux comportements malgré les difficultés de parcours.

Tout au long de cette aventure, vous vivrez assurément de bons et de moins bons moments. Il se peut par exemple que votre perte de poids plafonne pendant plusieurs semaines. Si c'est le cas, ne vous découragez pas. Laissez à votre corps le temps de se réajuster. S'il vous arrive de manger plus que prévu au cours de la semaine ou de sauter des séances d'exercice, ne laissez pas tout tomber. Réajustez-vous tout simplement le lendemain. Souvenez-vous que les gens qui ont réussi n'ont pas eu un parcours parfait.

John Gray a écrit cette phrase que j'aime beaucoup au sujet de la réussite: «*Réussir ne veut pas dire rester debout en toute circonstance; cela signifie savoir exactement comment se relever chaque fois que l'on tombe*». En appliquant les cinq principes, vous ferez plus que perdre du poids. *Vous apprendrez à vous relever.* C'est-à-dire, à puiser en vos ressources personnelles la force de retourner, lorsque nécessaire, à vos bonnes habitudes. Ce faisant, il vous sera possible de maintenir, vous aussi, *votre* poids idéal.

Tous mes vœux de réussite vous accompagnent.

C. G.

Vos outils

Dans cette dernière section, j'ai regroupé divers outils pratiques et ressources facilitant l'application des 5 principes. Vous y trouverez un journal alimentaire, un tableau de vos objectifs et un journal de vos émotions, lesquels vous pourrez photocopier et remplir régulièrement. Toutes les recettes nécessaires à la préparation du menu présenté au Chapitre 7, sont regroupées ici. Enfin, j'ai inclus une liste de ressources humaines et matérielles pouvant vous être utiles.

Prenez l'habitude d'utiliser ces outils. Ils ont été conçus pour vous aider à atteindre et à maintenir efficacement votre poids-santé.

(à photocopier et agrandir)

J'ABAISSE MA CONSIGNE; *mon journal alimentaire*

semaine du: _____ (date)

	Dimanche	Lundi	Mardi	Mercredi	Jeudi	Vendredi	Samedi
Lait et produits laitiers*	△ △	△ △	△ △	△ △	△ △	△ △	△ △
Viandes et substituts*	△ △	△ △	△ △	△ △	△ △	△ △	△ △
Légumes*	△ △ △	△ △ △	△ △ △	△ △ △	△ △ △	△ △ △	△ △ △
Fruits*	△ △	△ △	△ △	△ △	△ △	△ △	△ △
Pain et céréales*	△ △ △ △ △	△ △ △ △ △	△ △ △ △ △	△ △ △ △ △	△ △ △ △ △	△ △ △ △ △	△ △ △ △ △
Exercice (1 bloc de 5 min = ☺)	☺ ☺ ☺ ☺	☺ ☺ ☺ ☺	☺ ☺ ☺ ☺	☺ ☺ ☺ ☺	☺ ☺ ☺ ☺	☺ ☺ ☺ ☺	☺ ☺ ☺ ☺
Minimum 1 ☺ par jour	☺ ☺	☺ ☺	☺ ☺	☺ ☺	☺ ☺	☺ ☺	☺ ☺
Déjeuner							
Collation							
Dîner							
Collation							
Souper							

*Nombre minimum de portions à consommer dans chacun des groupes alimentaires. *Je pense à suivre mes progrès et à récompenser mes efforts

Cette semaine, je pèse: _____ , mon tour de taille est de: _____

JE ME FIXE DES OBJECTIFS RÉALISABLES; mon journal

semaine du: _____
(date)

Cette semaine je me fixe les objectifs suivants:

_____

Dimanche	Lundi	Mardi	Mercredi	Jeudi	Vendredi	Samedi
Aujourd'hui, j'entreprends les actions concrètes suivantes pour atteindre mes objectifs:						

Je vais suivre mes progrès de la façon suivante:

_____

_____

*Cette semaine je pense à me ressourcer sur les plans:

Physique   Émotionnel   Mental   Spirituel

JE METS DES MOTS SUR MES ÉMOTIONS
*(date et heure):*_____

En ce moment je me sens:

❑ triste
❑ seul(e)
❑ paniqué(e)
❑ anxieux, anxieuse
❑ en colère
❑ angoissé(e)
❑ honteux, honteuse
❑ déçu(e)
❑ inquiet, inquiète
❑ déprimé(e)
❑ mal dans ma peau
❑ préoccupé(e)
❑ stressé(e)
❑ autre:_____

❑ heureux, heureuse
❑ excité(e)
❑ plein(e) d'énergie
❑ de bonne humeur
❑ paisible
❑ fier, fière
❑ détendu(e)
❑ satisfait(e)
❑ bien dans ma peau
❑ autre:_____

En quelques mots j'explique ce qui m'arrive:

Si je ne me sens pas bien, je prends 5 min pour trouver trois choses que je peux faire pour me sentir mieux:

1)_____

2)_____

3)_____

LISTE D'ÉPICERIE DE BASE

❑ au moins deux nouveaux produits céréaliers (pains variés, farines, pâtes alimentaires), dont au moins une à grains entiers

❑ au moins une sorte de céréales pour le déjeuner à base de grains entiers et faible en sucre

❑ assez de pâtes alimentaires, de riz, de couscous et de pain pour en faire la base de vos repas

❑ au moins une sorte de fruit dont vous n'avez pas mangé depuis longtemps

❑ au moins un légume dont vous n'avez pas mangé depuis longtemps

❑ fruits et légumes de saison (au moins deux chacun)

❑ si nécessaire, légumes déjà préparés (ex. carottes ou pommes de terre pelées, choux râpés, etc.)

❑ des soupes aux légumes

❑ fruits en conserve dans leur jus au lieu du sirop

❑ au moins deux produits laitiers réduits en gras (essayez diverses marques)

❑ bœuf haché maigre ou très maigre au lieu du bœuf haché régulier

❑ veau, ou volaille sans peau

❑ porc maigre

❑ poisson, saumon, thon, maquereau

❑ légumineuses suffisantes pour préparer au moins un repas cette semaine

❑ si nécessaire, friandises et grignotines, mais ne pas dépasser la quantité que vous vous êtes fixée

❑ si nécessaire, choisir des boissons gazeuses édulcorées (diètes)

ÉQUIVALENCES MÉTRIQUES

Volume

1 c. à thé	5 ml
2 c. à thé	10 ml
1 c. à table	15 ml
2 c. à table	30 ml
$^1/_4$ de tasse	50 ml
$^1/_3$ de tasse	75 ml
$^1/_2$ tasse	125 ml
$^2/_3$ de tasse	150 ml
$^3/_4$ de tasse	175 ml
1 tasse	250 ml

Poids

1 oz	30 g
2 oz	55 g
3 oz	85 g
4 oz	125 g
5 oz	140 g
6 oz	170 g
7 oz	200 g
8 oz	250 g
16 oz	500 g
32 oz	1000 g (1kg)

Températures pour le four

300 F	150 C
325 F	160 C
350 F	175 C
375 F	190 C
400 F	205 C
425 F	220 C
450 F	230 C

—Le steak de surlonge savoureux—
(4 portions de 3 onces chacune)

Par portion:

Calories	130
Gras total	5 grammes
Gras saturé	2 grammes
Cholestérol	52 milligrammes
Sodium	155 milligrammes

Ingrédients:

1 livre de boeuf (surlonge, maigre et désossé)

1 gousse d'ail émincée

$1/4$ c. thé de romarin moulu

$1/4$ c. thé de thym

1 c. table de margarine

1 c. table de yogourt nature sans gras

1 c. table de moutarde

1 c. table de sauce Worcestershire

1 c. table de persil haché

Préparation:

1. Retirer le gras apparent de la viande, couvrir de l'ail et des épices.
2. Faire fondre la margarine et y rôtir la viande (6 min).
3. Mettre de côté au chaud.
4. Combiner le yogourt, la moutarde et la sauce Worcestershire et faire chauffer 1 minute au micro-ondes, puis napper la viande.
5. Pour servir, découper la viande en diagonale, en tranches minces.
6. Garnir de persil haché.

Chaque portion:

1 portion du groupe viande

—Filet de poisson créole—

(4 portions, 3 onces chacune, $1/_2$ tasse de sauce chacune)

Par portion:

Calories	130
Gras total	1 g
Gras saturé	traces
Cholestérol	49 mg
Sodium	155 mg

Ingrédients:

1 boîte de tomates (sans sel ajouté) 16 onces

$1/_2$ tasse de céleri haché

$1/_2$ tasse d'oignon haché

$1/_4$ tasse de poivron vert haché

1 gousse d'ail émincée

1 feuille de laurier

$1/_2$ c. thé de thym

$1/_4$ c. thé de flocons de piment rouge séché

$1/_8$ c. thé de sel

1 livre de filet de morue

Préparation:

1. Préchauffer le four à 400° F.
2. Combiner tous les ingrédients dans une poêle, sauf le poisson, et amener à ébullition.
3. Réduire la chaleur et faire mijoter doucement 25 min en remuant à l'occasion. Retirer la feuille de laurier.
4. Placer les filets de poisson dans un plat allant au four et cuire pendant 15 min sans couvrir.
5. Napper avec la sauce et servir.

Chaque portion:

1 portion du groupe de viande et substituts

1 portion du groupe légumes/fruits

—Poulet glacé aux abricots—

(4 portions de 3 onces de volaille)

Par portion:

Calories	210
Gras total	2 g
Gras saturé	Traces
Cholestérol	68 mg
Sodium	155 mg

Ingrédients:

2 c. table de jus de citron

1 gousse d'ail émincée

$^1/_4$ c. thé de poivre

4 demi-poitrines de poulet désossé

$^3/_4$ tasse de jus d'orange

12 demi-abricots séchés

1 c. table de vinaigre

1 c. thé de cassonade

1 c. thé de moutarde

$^1/_4$ c. thé de gingembre moulu

$^1/_8$ c. thé de sel

$^1/_4$ tasse de raisins secs

Préparation:

1. Préchauffer le four à 400° F.
2. Badigeonner le poulet avec un mélange de jus de citron, d'ail et de poivre.
3. Déposer le poulet sur une grille placée dans un plat allant au four. Couvrir et cuire 45 min.
4. Mélanger le jus d'orange et les abricots et faire mijoter 10 min. Ajouter le reste des ingrédients sauf les raisins secs et mijoter 2 min. Passer au mélangeur et réduire en purée pendant 15-20 sec. Ajouter les raisins.
5. Étaler la moitié de ce mélange sur un côté du poulet et cuire 3 min. Retourner le poulet et y étaler le reste du mélange d'abricots. Remettre au four 3 min de plus.

Chaque portion:

1 portion du groupe viande et substituts

$^1/_2$ portion du groupe légumes/fruits

—Sauté de porc et légumes—

(4 portions d'une tasse, $1/4$ tasse de sauce, $3/4$ tasse de riz)

Par portion:

Calories	370
Gras total	9 g
Gras saturé	3 g
Cholestérol	69 mg
Sodium	240 mg

Ingrédients:

1 livre de porc maigre désossé

$1/2$ c. thé d'estragon

$1/4$ c. thé de poivre

$1/4$ c. thé de poudre d'ail

$1/4$ c. thé de sel

2 c. thé de fécule de maïs

1 tasse d'eau

$1/4$ tasse de jus de citron

1 tasse de carottes tranchées

1 tasse de champignons tranchés

1 tasse de céleri tranché

$1/2$ tasse d'oignon émincé

3 tasses de riz cuit

Préparation:

1. Retirer le gras apparent de la viande et la couper en tranches de $1/4$ pouce d'épaisseur.
2. Mélanger les épices et en saupoudrer la viande.
3. Mélanger la fécule, l'eau et le jus de citron. Réserver.
4. Dans une poêle anti-adhésive, faire sauter les morceaux de viande 5 min, les retirer et garder au chaud.
5. Dans la même poêle, faire sauter les carottes 5 min. Ajouter les autres légumes et faire sauter 2 min. Ajouter la viande et le mélange à base de fécule de maïs. Faire mijoter jusqu'à épaississement en remuant constamment.
6. Servir sur le riz chaud.

Chaque portion:

1 portion du groupe viande et substituts

1 portion du groupe légumes/fruits

$1 1/2$ portion du groupe produits céréaliers

—Lentilles Stroganoff—

(4 portions, $1^1/_2$ tasse de mélange Stoganoff et $^3/_4$ tasse de nouilles chacune)

Par portion:

Calories	520
Gras total	5 g
Gras saturé	1 g
Cholestérol	48 mg
Sodium	340 mg

Ingrédients:

$1^1/_2$ tasse de lentilles sèches

$4^1/_2$ tasse d'eau

1 c. thé de sel

1 c. thé d'huile végétale

$1^1/_2$ tasse de champignons tranchés

1 tasse de poivron vert ou rouge

$^1/_2$ tasse d'oignon émincé

3 c. table de farine

2 c. thé de moutarde sèche

$^1/_4$ c. thé de poivre

8 onces de yogourt nature sans gras

3 tasses de nouilles aux oeufs cuites

2 c. table d'oignon vert en tranches

Préparation:

1. Mettre les lentilles à bouillir dans l'eau salée, puis réduire le feu, couvrir et cuire doucement 30 min. Égoutter et conserver les lentilles au chaud et $1^1/_2$ tasse d'eau de cuisson (ajouter de l'eau si besoin).
2. Dans une poêle, chauffer l'huile et y faire sauter les légumes.
3. Mélanger la farine et les assaisonnements et ajouter aux légumes. Ajouter la $1^1/_2$ tasse d'eau de cuisson et remuer constamment. Épaissir à feu lent.
4. Ajouter les lentilles et mélanger. Chauffer.
5. Au moment de servir, ajouter le yogourt.
6. Faire cuire les nouilles.
7. Servir le mélange Stroganoff sur les nouilles. Garnir de tranches d'oignons verts.

Chaque portion:

1 portion du groupe viande et substituts

$1^1/_2$ portion du groupe produits céréaliers

$1^1/_4$ portion du groupe légumes/fruits

$^1/_4$ portion du groupe produits laitiers

—Salade Taco—

(4 portions, 1 tasse de verdure et $^3/_4$ tasse de chili chacune)

Par portion:

Calories	455
Gras total	19 g
Gras saturé	6 g
Cholestérol	43 mg
Sodium	545 mg

Ingrédients:

$^1/_2$ livre de boeuf haché maigre

1 boîte de haricots rouges 16 onces

1 tasse de purée de tomates sans sel

$1^1/_2$ c. table de poudre de chili

1 c. table d'oignon séché

2 tasses de laitue hachée

2 tasses d'épinard haché

$^3/_4$ tasse de cheddar râpé faible en gras et en sodium

40 chips Tortilla non salées

Préparation:

1. Cuire le boeuf à la poêle et égoutter le gras.
2. Ajouter les haricots, la purée de tomate, la poudre de chili et l'oignon.
3. Amener à ébullition puis réduire le feu, couvrir et mijoter 10 min en remuant.
4. Placer $^1/_2$ tasse de laitue et $^1/_2$ d'épinards dans des bols à salade individuels. Dans chacun y ajouter $^3/_4$ tasse de chili, $^1/_4$ de tasse de fromage et 10 chips Tortilla.

Chaque portion:

1 portion du groupe viande et substituts

$^3/_4$ portion du groupe produits céréaliers

$^1/_2$ portion du groupe produits laitiers

$1^1/_2$ portion du groupe légumes/fruits

194

—Pomme de terre farcie au chili—

(variante de la salade Taco)

(4 portions, 1 pomme de terre et $3/4$ tasse de chili chacune)

Par portion:

Calories	395
Gras total	9 g
Gras saturé	3 g
Cholestérol	38 mg
Sodium	460 mg

Préparation:

1. Omettre la laitue, les épinards, le fromage et les chips Tortilla prévues dans la recette de la Salade Taco. Préparer le mélange de chili comme dans la recette de Salade Taco.

2. Cuire les pommes de terre lavées au four ou au micro-ondes. Faire une fente sur le dessus de chaque pomme de terre et garnir chacune avec $3/4$ tasse du mélange de chili. Du fromage râpé peut aussi être ajouté.

Chaque portion:

1 portion du groupe viande et substituts

$1^1/_2$ portion du groupe légumes/fruits

—*Pita* au déjeuner—

(4 portions, 1 *pita* chacun)

Par portion:

Calories	170
Gras total	6 g
Gras saturé	2 g
Cholestérol	108 mg
Sodium	400 mg

Ingrédients:

2 c. table de margarine

1 boîte de morceaux de champignons égouttés

$1/4$ tasse d'oignon émincé

$1/4$ tasse de poivron émincé

2 gros oeufs

2 blancs d'oeufs

$1/4$ tasse de fromage cottage faible en gras

$1/8$ c. thé de poivre

$1/4$ tasse de cheddar râpé

4 *pita* de blé entier

Préparation:

1. Faire fondre la margarine, y sauter l'oignon, les champignons et le poivron vert.

2. Battre légèrement les œufs et les blancs d'oeufs, le fromage cottage et le poivre. Verser sur le mélange de légumes.

3. Cuire à feu moyen en brassant à la spatule, en prenant soin de ne pas trop cuire. Y mélanger le cheddar.

4. Ouvrir les *pita* et y déposer le $1/4$ du mélange. Servir immédiatement.

Chaque portion:

$1/2$ portion du groupe viande et substituts

1 portion du groupe produits céréaliers

$1/4$ portion du groupe légumes/fruits

196

—Sandwich rapide au thon et à la luzerne—

(4 portions, 1 sandwich chacune)

Par portion:

Calories	200
Gras total	4 g
Gras saturé	1 g
Cholestérol	10 mg
Sodium	320 mg

Ingrédients:

3 c. table de mayonnaise

$1/4$ c. thé de graines de céleri

$1/4$ c. thé de poudre d'oignon

1 boîte de thon dans l'eau, sans sel ajouté

$1/2$ tasse de germes de luzerne

4 pains hamburger au blé entier

Préparation:

1. Mélanger dans un bol la mayonnaise et les assaisonnements. Ajouter le thon et son liquide ainsi que les germes de luzerne. Bien mélanger.
2. Garnir chaque pain de $1/4$ du mélange.

Chaque portion:

$1/2$ portion du groupe viande et substituts

2 portions du groupe produits céréaliers

—Salade aux pâtes et à la dinde—

(4 portions, $1^1/_4$ tasse chacune)

Par portion:

Calories	265
Gras total	6 g
Gras saturé	1 g
Cholestérol	47 mg
Sodium	225 mg

Ingrédients:

1 tasse de macaronis non cuits

$1^1/_2$ c. thé de ciboulette séchée

$^1/_4$ tasse de mayonnaise légère

$1^2/_3$ tasse de dinde cuite coupée en dés

1 tasse de raisins rouges coupés en deux

$^1/_3$ tasse de céleri haché fin

4 feuilles de salade verte

Préparation:

1. Cuire le macaroni dans l'eau salée. Égoutter.
2. Mélanger la ciboulette et la mayonnaise.
3. Mélanger légèrement le macaroni, la dinde, les raisins et le céleri.
4. Ajouter en brassant la mayonnaise.
5. Refroidir. Servir sur la laitue.

Chaque portion:

1 portion du groupe viande et substituts

1 portion du groupe produits céréaliers

$^1/_2$ portion du groupe légumes/fruits

—Croquettes de dinde—

(4 portions, 1 croquette chacune)

Par portion:

Calories	125
Gras total	6 g
Gras saturé	2 g
Cholestérol	46 mg
Sodium	200 mg

Ingrédients:

8 onces ($^1/_2$ livre) de dinde hachée

$^1/_2$ à $^3/_4$ c. thé de sauge moulue

$^1/_4$ c. thé de marjolaine

$^1/_4$ c. thé de poivre

$^1/_8$ c. thé de sel

$^1/_2$ c. thé d'huile végétale

Préparation:

1. Mélanger tous les ingrédients sauf l'huile.
2. Former 4 galettes d'environ 3 po de diamètre.
3. Faire chauffer l'huile dans une poêle anti-adhésive. Cuire les croquettes 4 min en ne les tournant qu'une seule fois.

Chaque portion:

$^1/_2$ portion du groupe viande et substituts

—Soupe aux pois cassés—

(6 portions, 1 tasse chacune)

Par portion:

Calories	220
Gras total	2 g
Gras saturé	1 g
Cholestérol	5 mg
Sodium	190 mg

Ingrédients:

1 côtelette de porc fumé

$1^1/_2$ tasse de pois verts séchés

$^1/_2$ tasse d'oignon émincé

$^1/_2$ tasse de carotte râpée

$^1/_8$ c. thé de poivre

$2^1/_2$ tasse d'eau

$3^1/_2$ tasse de bouillon poulet faible en sodium

Préparation:

1. Retirer le gras visible du porc fumé et le couper en dés.
2. Mélanger tous les ingrédients dans une casserole. Amener à ébullition, couvrir, réduire la chaleur et laisser mijoter $1^1/_2$ heure en remuant à l'occasion.

Chaque portion:

$^1/_2$ portion du groupe viande et substituts

$^1/_2$ portion du groupe légumes/fruits

—Jardinière de courgettes et maïs—

(4 portions, $^1/_2$ tasse chacune)

Par portion:

Calories	75
Gras total	2 g
Gras saturé	Traces
Cholestérol	0
Sodium	15 mg

Ingrédients:

1 c. thé de margarine
$^1/_2$ tasse d'oignon en dés
$1^1/_2$ tasse de courgettes tranchées
$1^1/_2$ tasse de maïs en grains congelés
$^1/_4$ c. thé de basilic
$^1/_8$ c. thé d'origan
$^1/_8$ c. thé de poivre

Préparation:

1. Faire fondre la margarine dans une poêle.
2. Cuire l'oignon à feu doux 2 min.
3. Ajouter la courgette, couvrir et cuire 5 min en remuant à l'occasion.
4. Ajouter le maïs et les assaisonnements. Couvrir et cuire à feu doux 5 min.

Chaque portion:

1 portion du groupe légumes/fruits

—Salade aux épinards et à l'orange—

(4 portions, 1 tasse chacune)

Par portion:

Calories	110
Gras total	7 g
Gras saturé	1 g
Cholestérol	0
Sodium	25 mg

Ingrédients:

4 tasses d'épinards déchiquetés

2 oranges en morceaux

$^2/_3$ tasse de champignons tranchés

$^1/_2$ tasse d'oignon rouge tranché

2 c. table d'huile végétale

2 c. table de vinaigre

$^1/_4$ tasse de jus d'orange

$^1/_2$ c. thé de gingembre moulu

$^1/_4$ c. thé de poivre

Préparation:

1. Mettre les épinards dans un bol. Ajouter les morceaux d'oranges, les champignons et l'oignon. Mêler légèrement.

2. Bien mélanger l'huile, le vinaigre, le jus d'orange, le gingembre et le poivre. Verser sur le mélange d'épinards. Bien mêler.

3. Refroidir et servir.

Chaque portion:

2 portions du groupe légumes/fruits

—Salade de chou, *Coleslaw*—

(4 portions, $^1/_2$ tasse chacune)

Par portion:

Calories	35
Gras total	Traces
Gras saturé	Traces
Cholestérol	0
Sodium	10 mg

Ingrédients:

2 tasses de chou vert émincé
$^1/_4$ tasse de poivron vert émincé finement
$^1/_4$ tasse de poivron rouge émincé finement
1 c. table d'oignon émincé
2 c. table de vinaigre
1 c. table d'eau
$1^1/_2$ c. table de sucre
$^1/_8$ c. thé de graines de céleri
$^1/_8$ c. thé de poivre

Préparation:

1. Mélanger tous les légumes.
2. Faire la vinaigrette avec le reste des ingrédients.
3. Verser sur les légumes et bien mélanger. Refroidir et servir.

(Le tout se conserve très bien au frigo.)
(Pour plus de couleur, ajouter de la carotte râpée.)

Chaque portion:

1 portion du groupe légumes/fruits

—Muffins au blé entier et à la semoule de maïs—

(8 muffins)

Par muffin:

Calories	130
Gras total	4 g
Gras saturé	1g
Cholestérol	27 mg
Sodium	130 mg

Ingrédients:

$^2/_3$ tasse de semoule de maïs dégermé

$^2/_3$ tasse de farine de blé entier

1 c. table de sucre

2 c. table de poudre à pâte

$^1/_8$ c. thé de sel

$^2/_3$ tasse de lait écrémé

1 oeuf battu

2 c. table d'huile végétale

Préparation:

1. Préchauffer le four à 400°F.
2. Graisser ou garnir de papier 8 moules à muffins.
3. Bien mêler les ingrédients secs.
4. Mélanger le lait, l'oeuf battu et l'huile. Incorporer aux ingrédients secs jusqu'à ce que le mélange soit à peine humidifié.
5. Remplir les moules à muffins au $^2/_3$.
6. Cuire jusqu'à ce qu'ils soient légèrement brunis, soit environ 20 min.

Chaque muffin:

2 portions du groupe produits céréaliers

—Crêpes au blé entier—

(4 portions, 2 crêpes de $^1/_4$ de po par portion)

Par portion:

Calories	170
Gras total	4 g
Gras saturé	1 g
Cholestérol	54 mg
Sodium	230 mg

Ingrédients:

1 tasse de farine de blé entier

2 c. thé de cassonade

$1^1/_2$ c. thé de poudre à pâte

$^1/_8$ c. thé de sel

1 oeuf

1 tasse de lait écrémé

2 c. thé d'huile végétale

Préparation:

1. Préchauffer la poêle.
2. Mélanger les ingrédients secs.
3. Mélanger l'œuf battu, l'huile et le lait.
4. Incorporer aux ingrédients secs jusqu'à ce que le mélange soit à peine humidifié. La pâte ne sera pas lisse.
5. Pour chaque crêpe, verser $^1/_4$ de tasse du mélange sur la poêle.
6. Cuire jusqu'à ce que des bulles se forment sur toute la surface de la crêpe. Retourner et brunir légèrement l'autre côté.

Chaque portion:

2 portions (2 crêpes) du groupe produits céréaliers

—Riz Pilaf aux pâtes—

(4 portions, $^3/_4$ tasse chacune)

Par portion:

Calories	205
Gras total	5 g
Gras saturé	1 g
Cholestérol	0
Sodium	225 mg

Ingrédients:

$^1/_2$ tasse de riz brun non cuit

$2^1/_4$ tasse de bouillon de poulet non salé

$^1/_2$ tasse de spaghettinis (cassés en sections de 2 po)

1 c. table de margarine

3 c. table d'oignon vert émincé

3 c. table de poivron vert émincé

3 c. table de champignons émincés

1 gousse d'ail émincée

$^3/_4$ c. thé de sarriette

$^1/_4$ c. thé de sel

$^1/_8$ c. thé de poivre

Préparation:

1. Cuire le riz dans $1^3/_4$ tasse du bouillon à feu lent, à couvert, jusqu'à ce qu'il soit presque tendre. Environ 35 min.
2. Cuire dans une poêle à fond épais, les sections de spaghettinis dans la margarine à feu très lent 2 min. Remuer fréquemment et surveiller pour ne pas qu'ils brûlent.
3. Ajouter le spaghettinis grillés, les légumes, le reste du bouillon et les assaisonnements au riz.
4. Amener à ébullition, réduire à feu moyen, couvrir et cuire 10 min jusqu'à ce que le liquide soit absorbé.
5. Retirer du feu, laisser reposer 2 min.

Chaque portion:

$1^1/_2$ portion du groupe produits céréaliers

$^1/_4$ portion du groupe légumes/fruits

206

—Gâteau au citron—

(18 portions, 1 tranche de $^1/_2$ pouce chacune)

Par portion:

Calories	195
Gras total	8 g
Gras saturé	2 g
Cholestérol	48 mg
Sodium	120 mg

Ingrédients:

$^2/_3$ tasse de margarine molle

1$^1/_3$ tasse de sucre

4 oeufs

1 c. thé de vanille

2 tasses de farine

$^1/_4$ c. thé de poudre à pâte

$^1/_4$ c. thé de bicarbonate de soude

$^2/_3$ tasse de yogourt faible en gras nature ou au citron

3 c. table de jus de citron

1 c. thé de zeste de citron

Préparation:

1. Préchauffer le four à 325ºF. Graisser un moule de 5" x 9".
2. Ramollir la margarine dans un grand bol. Battre à la mixette en incorporant le sucre jusqu'à ce que le mélange soit léger.
3. Incorporer 1 oeuf à la fois, bien battre. Ajouter la vanille.
4. Mêler les ingrédients secs.
5. Mélanger le yogourt, le jus et le zeste de citron.
6. Incorporer les ingrédients secs au mélange à base de citron en alternant avec le mélange à base d'œufs. Mélanger jusqu'à ce que le tout soit à peine humidifié.
7. Verser dans le moule et cuire 1$^1/_4$ heure.
8. Laisser refroidir 10 min et démouler.

Chaque portion (chaque tranche):

$^3/_4$ portion du groupe produits céréaliers

—Croustillant aux pêches—

(10 portions, $^1/_2$ tasse chacune)

Par portion:

Calories	155
Gras total	4 g
Gras saturé	1 g
Cholestérol	0
Sodium	40 mg

Ingrédients:

2 emballages de 16 onces de pêches congelées non sucrées

2 c. table de fécule de maïs

2 c. thé de jus de citron

$^1/_2$ tasse de farine

$^1/_2$ tasse de sucre

$^1/_2$ c. thé de cannelle moulue

$^1/_4$ c. thé de clou de girofle moulu

3 c. table de margarine

$^1/_2$ tasse de flocons d'avoine (gruau)

Préparation:

1. Préchauffer le four à 375ºF.
2. Étendre les pêches dans un moule de 8" x 8". Saupoudrer de fécule de maïs et bien mélanger.
3. Verser le jus de citron sur les pêches.
4. Dans un bol, mélanger la farine et les épices.
5. Dans un autre bol, mélanger la margarine et les flocons d'avoine. Incorporer le mélange de farine au gruau, et mélanger jusqu'à ce que le tout soit grumeleux.
6. Étendre cette garniture sur les pêches.
7. Cuire 45 min, jusqu'à ce que les pêches soit cuites et que la garniture soit dorée.

Chaque portion:

$^3/_4$ portion du groupe légumes/fruits

$^1/_2$ portion du groupe produits céréaliers

—Tarte au chocolat et à la menthe—

(tarte de 8 po., 8 portions)

Par portion:

Calories	175
Gras total	6 g
Gras saturé	1 g
Cholestérol	1 mg
Sodium	175 mg

Ingrédients:

Croûte Graham:

$1^1/_4$ tasse de biscuits Graham émiettés

3 c. table de margarine

Garniture:

1 enveloppe de gélatine nature
(env. 1 c. à table)

$^1/_4$ tasse d'eau froide

$^1/_2$ tasse de sucre

$^1/_4$ tasse de cacao

2 c. table de fécule de maïs

2 tasses de lait écrémé

4 gouttes d'extrait de menthe

Préparation:

Pour la croûte

1. Mélanger la margarine et les miettes de biscuits Graham. Réserver $^1/_4$ tasse du mélange pour la garniture.
2. Presser le mélange de Graham dans un moule à tarte de 8". S'assurer de couvrir le fond et les côtés du moule.

Pour la garniture

1. Faire gonfler la gélatine en la mélangeant à l'eau.
2. Dans une casserole, mélanger le sucre, le cacao et la fécule. Ajouter le lait et cuire à feu lent en remuant constamment jusqu'à épaississement.
3. Ajouter la gélatine gonflée au mélange chaud et laisser refroidir 20 min. en remuant à l'occasion. Incorporer l'extrait de menthe. Laisser refroidir à nouveau 20 min.
4. Verser le mélange dans la croûte de tarte.
5. Garnir la tarte du reste ($^1/_4$ tasse) des miettes de biscuits Graham.
6. Réfrigérer jusqu'à ce que la tarte soit prise. Garder au réfrigérateur jusqu'au moment de servir.

Chaque portion:

$^1/_4$ portion du groupe produits laitiers

$^1/_2$ portion du groupe produits céréaliers

—Parfait aux fraises—

(4 portions, $^1/_2$ yogourt glacé et $^1/_2$ tasse de fruits chacune)

Par portion:

Calories	130
Gras total	2 g
Gras saturé	1 g
Cholestérol	5 mg
Sodium	60 mg

Ingrédients:

1 chopine de yogourt glacé à la vanille faible en gras
2 tasses de fraises fraîches tranchées
Feuilles de menthe (optionnel)

Préparation:

1. Étaler le yogourt glacé et les fraises en alternance dans 4 coupes à parfait.
2. Décorer de feuilles de menthe (optionnel).

Note: Selon la saison, varier en utilisant d'autres baies ou fruits en tranches.

Chaque portion:

$^1/_2$ portion du groupe produits laitiers
1 portion du groupe légumes/fruits

—Sauce aux bleuets—

(4 portions, $^1/_4$ chacune)

Par portion:

Calories	35
Gras total	Trace
Gras saturé	Trace
Cholestérol	0
Sodium	1 mg

Ingrédients:

1 c. table de fécule de maïs

1 c. table de sucre

$^2/_3$ tasse d'eau

$^2/_3$ tasse de bleuets congelés non sucrés

2 c. table de jus de citron

Préparation:

1. Mélanger le sucre et la fécule dans une petite casserole.
2. Ajouter l'eau et remuer jusqu'à ce que la préparation soit lisse. Ajouter les bleuets.
3. Amener à ébullition à feu moyen en remuant constamment. Cuire jusqu'à épaississement.
4. Retirer du feu. Ajouter le jus de citron et mélanger.
5. Servir chaud sur les crêpes au blé entier.

Chaque portion:

$^1/_3$ portion du groupe légumes/fruits

Quelques recettes supplémentaires

Comme nous l'avons vu dans le chapitre 7, des recherches ont montré que le lait et les produits laitiers étaient de véritables alliés dans la perte de poids et le maintien d'un poids-santé. Il s'agit d'un des groupes alimentaires les plus négligés chez l'adulte, particulièrement chez la femme. J'ai donc choisi pour vous, trois recettes faibles en gras, riches en produits laitiers et rapides à préparer. La quatrième recette, elle aussi toute simple et faible en gras, est à base de légumineuses riches en protéines et en fibres et vise à vous faire essayer une délicieuse alternative à la viande. Ces recettes proviennent des excellents livres *«Bons mets vite faits»* et *«Survivre à l'heure du souper»*, des diététistes Bev Callaghan et Lynn Roblin (pour plus de détails sur ces livres, voir un peu plus loin dans *Votre Boîte à Outils*).

Lait frappé à l'orange

(donne 1 portion de 300 ml ou $1^1/_4$ tasse)

175 ml ($^3/_4$ tasse) yogourt faible en gras à la vanille
25 ml (2 c. à table) lait écrémé en poudre
125 ml ($^1/_2$ tasse) jus d'orange

1. Réunir dans un mélangeur le yogourt, le lait écrémé en poudre et le jus d'orange. Battre jusqu'à homogénéité.

Par portion:

$1^1/_2$ portion de produits laitiers
1 portion de légumes/fruits

Calories: 262	Glucides: 50,8 g
Protéines: 10,8 g	Fibres alimentaires: 0,4 g
Matières grasses: 1,9 g	Sodium: 147 mg

Ce lait frappé est une excellente façon d'augmenter votre consommation de lait et de fruits. Celui-ci convient particulièrement bien aux personnes qui apprécient un lait frappé onctueux, sans grumeaux. Accompagnez-le d'un bagel, d'un muffin de blé entier ou encore d'une barre de céréales et vous aurez un déjeuner complet.

Reproduit à partir du livre «Bons mets vite faits», de Bev Callaghan et Lynn Roblin avec la permission des Éditions du Trécarré.

Muesli à emporter

(donne 1 portion de 300 ml ou 1$^1/_4$ tasse)

250 ml (1 tasse) flocons d'avoine à cuisson en 3 min (non pas instantanés)
250 ml (1 tasse) yogourt nature faible en matières grasses
125 ml ($^1/_2$ tasse) lait
25 ml (2 c. à table) miel liquide ou sirop d'érable
250 ml (1 tasse) petits fruits assortis (frais ou surgelés)
1 grosse banane en tranches

1. Réunir dans un contenant de plastique les flocons d'avoine, le yogourt, le lait et le miel. Incorporez délicatement les petits fruits. Servir garni de tranches de banane ou mettre dans un contenant de plastique, pour emporter au travail. Ce muesli a meilleure consistance et meilleur goût quand on le prépare la veille.

Par portion:

1$^1/_2$ portion de produits céréaliers
1$^1/_2$ portion de légumes/fruits
1$^3/_4$ portion de produits laitiers

Calories: 423
Protéines: 16,0 g
Matières grasses: 6,8 g

Glucides: 79,2 g
Fibres alimentaires: 7,9 g
Sodium: 117 mg

Reproduit à partir du livre «Bons mets vite faits», de Bev Callaghan et Lynn Roblin avec la permission des Éditions du Trécarré.

Chaudrée de fruits de mer

(donne 2 litres ou 8 tasses)

500 ml (2 tasses)	pommes de terre coupées en dés
250 ml (1 tasse)	carottes coupées en dés
125 ml ($^1/_2$ tasse)	oignons hachés
2 boîtes de 398 ml (14 oz)	lait évaporé à 2 %
250 ml (1 tasse)	petits pois surgelés
1 boîte de 142 g (5 oz)	palourdes égouttées
250 ml (1 tasse)	crevettes cuites hachées
250 ml (1 tasse)	crabe cuit haché ou tout filet de poisson cuit
2 ml ($^1/_2$ c. à thé)	sel
	poivre noir
125 ml ($^1/_2$ tasse)	oignons verts *ou* ciboulette hachés finement
250 ml (1 tasse)	croûtons assaisonnés.

1. Déposer les pommes de terre, les carottes et les oignons dans une grande casserole. Ajouter environ 500 ml (2 tasses) d'eau, juste pour recouvrir. Porter à ébullition. Réduire le feu et laisser mijoter à découvert de 10 à 12 min ou jusqu'à ce que les légumes soient tendres.

2. Ajouter le lait et les pois. Laisser mijoter pendant 4 ou 5 min. Ajouter les palourdes, les crevettes et le crabe. Laisser mijoter pendant 2 ou 3 min ou jusqu'à ce que la soupe soit très chaude. Saler et poivrer au goût.

3. Servir la chaudrée garnie d'oignons, de paprika et de croûtons.

4. Servez cette chaudrée avec du pain de blé entier et vous aurez un repas complet.

Par portion:	1 portion de produits laitiers
	1 portion de légumes/fruits
	1 portion de viandes et substituts

Calories: 225	Glucides: 26,1 g
Protéines: 21,1 g	Fibres alimentaires: 2,1 g
Matières grasses: 3,9 g	Sodium: 532 mg

Reproduit à partir du livre «Bons mets vites faits», de Bev Callaghan et Lynn Roblin avec la permission des Éditions du Trécarré.

Riz et lentilles à l'espagnole

(donne 4 portions de 500 ml ou 2 tasses)

15 ml (1 c. à soupe)	huile végétale
1 gousse d'ail émincée	
1 oignon moyen haché	
1 boîte de 796 ml (28 oz) de tomates en morceaux	
1 boîte de 540 ml (19 oz) de lentilles égouttées et rincées	
250 ml (1 tasse)	riz à grains longs
250 ml (1 tasse)	eau
2 ml ($^1/_2$ c. à thé)	paprika
2 ml ($^1/_2$ c. à thé)	cumin moulu
2 ml ($^1/_2$ c. à thé)	chili en poudre
1 ml ($^1/_4$ c. à thé)	piment rouge en flocons
1 poivron vert moyen, coupé en dés	

1. Faire chauffer l'huile à feu moyen dans une grande casserole ou une cocotte. Faire revenir l'ail et l'oignon de 3 à 5 minutes jusqu'à ce qu'ils soient tendres.
2. Ajouter les tomates, les lentilles, le riz, l'eau, le paprika, le cumin, le chili et le piment rouge. Amener à ébullition . Réduire la chaleur, couvrir et mijoter 20 minutes.
3. Ajouter le poivron vert et laisser mijoter à découvert 3 minutes ou jusqu'à ce que le riz soit tendre.
4. Pour un repas complet, ajoutez une portion de produits laitiers.

Par portion: 1$^1/_2$ portion de produits céréaliers

2 portions de légumes/fruits

1 portion viande et substituts

Calories: 376   Glucides: 70,0 g

Protéines: 15,0 g   Fibres alimentaires: 8,0 g

Matières grasses: 5,0 g

Reproduit à partir du livre «Survivre à l'heure du souper», de Bev Callaghan et Lynn Roblin avec la permission des Éditions du Trécarré.

Répondre aux besoins énergétiques des divers membres de votre famille

Les tableaux des prochaines pages indiquent pour chaque jour du menu, le nombre de portions à servir en fonction de trois niveaux énergétiques: 1 600, 2 200 et 2800 calories. Par exemple, le menu à 1 600 calories répond aux besoins énergétiques de la plupart des femmes sédentaires et des enfants. Le menu à 2 200 calories convient à la plupart des femmes actives, des adolescentes et des hommes sédentaires. Enfin, le nombre de portions contenu dans le menu à 2 800 calories répond aux besoins de la plupart des hommes actifs et des adolescents. À partir d'un même menu de base, vous constaterez qu'il est possible de répondre aux besoins énergétiques de tous les membres de votre famille.

JOUR 1:Menu et portions dans chaque groupe alimentaire
pour 3 niveaux de calories

	1 600 calories	2 200 calories	2 800 calories
DÉJEUNER			
Jus d'orange	$^3/_4$ tasse	$^3/_4$ tasse	$^3/_4$ tasse
Gruau	$^1/_2$ tasse	$^1/_2$ tasse	$^1/_2$ tasse
Pain blanc grillé	1 tranche	2 tranches	2 tranches
Margarine	1 c. à thé	2 c. à thé	2 c. à thé
Gelée	1 c. à thé	2 c. à thé	2 c. à thé
Lait	Écrémé: $^1/_2$ tasse	2%: $^1/_2$ tasse	2%: $^1/_2$ tasse
DÎNER			
*Soupe aux pois cassés	1 tasse	1 tasse	1 tasse
*Sandwich rapide au thon et à la luzerne	1 sandwich	1 sandwich	1 sandwich
Salade verte	1 tasse	1 tasse	1 tasse
Vinaigrette italienne faible en calories	1 c. à table	1 c. à table	
Vinaigrette italienne régulière			1 c. à table
*Tarte au chocolat et à la menthe	1 portion	1 portion	1 portion
Lait 2%			1 tasse
SOUPER			
*Steak de surlonge savoureux	3 onces	3 onces	4 onces
*Jardinière de courgettes et maïs	$^1/_2$ tasse	$^3/_4$ tasse	1 tasse
Salade de tomates et laitue	1 portion	1 portion	1 portion
Vinaigrette française faible en calories	1 c. à table		1 c. à table
Vinaigrette française régulière		1 c. à table	
Petit(s) pain(s) de blé entier	1 petit	2 petits	2 petits
Margarine	1 c. à thé	1 c. à thé	1 c. à thé
*Parfait au yogourt et à la fraise	1 tasse	1 tasse	1 tasse
COLLATION			
Biscuits Graham	3 carrés	6 carrés	6 carrés
Beurre d'arachide		2 c. à table	
Sandwich beurre d'arachides et banane: Beurre d'arachide Banane Pain de blé entier			2 c. à table 1 moyenne 2 tranches
Pêche		1 moyenne	
Bâtonnets de carottes		7-8 moyens	7-8 moyens
Yogourt aux fruits sans gras			contenant de 8
Lait	Écrémé: 1 tasse	2%: 1 tasse	

JOUR 1: Menu et portions dans chaque groupe alimentaire pour 3 niveaux de calories (suite)

	1 600 calories	2 200 calories	2 800 calories
NOMBRE DE PORTIONS			
Pain et céréales	6 $^1/_2$	9 $^1/_2$	11 $^1/_2$
Légumes	3 $^1/_2$	5	5 $^1/_2$
Fruits	2	3	4
Lait et produits laitiers	2 $^1/_4$	2 $^1/_4$	3 $^1/_4$
Viandes et substituts (onces)	5 $^3/_4$	6 $^3/_4$	7 $^3/_4$
INFORMATION NUTRITIONNELLE			
Calories	1 593	2 247	2 783
Gras (g)	37	73	79
Pourcentage des calories provenant du gras	20%	28%	24%
Gras saturé (g)	9	19	20
Pourcentage des calories provenant du gras saturé	5%	7%	6%
Cholestérol (mg)	82	103	124
Sodium (mg)	1 920	2 668	3 044
Fibres (g)	32	41	48

JOUR 2: Menu et portions dans chaque groupe alimentaire pour 3 niveaux de calories

	1 600 calories	2 200 calories	2 800 calories
DÉJEUNER			
Jus de pamplemousse	$^3/_4$ tasse	$^3/_4$ tasse	$^3/_4$ tasse
*Pita du déjeuner	$^1/_2$ oeuf 1 pita	$^1/_2$ oeuf 1 pita	$^1/_2$ oeuf 1 pita
Lait	Écrémé: 1 tasse	2%: 1 tasse	2% 1 tasse
Muffin au son			1 gros
Margarine			1 c. à thé
DÎNER			
*Salade à la dinde et aux pâtes	1 $^1/_4$ tasse	1 $^1/_4$ tasse	1 $^1/_4$ tasse
Quartiers de tomates sur feuille de laitue	1 portion	1 portion	1 portion
Petit(s) pain(s)	1 petit	2 petits	2 petits
Margarine	1 c. à thé	2 c. à thé	2 c. à thé
Biscuits à l'avoine		4 petits	6 petits
Lait	Écrémé: 1 tasse	2%: 1 tasse	2% 1 tasse
Clémentine			1 moyenne
SOUPER			
*Filets de poisson Créole	3 onces	4 onces	4 onces
Pommes de terre nouvelles, avec pelure	2 petites	2 petites	2 petites
Petits pois verts avec margarine	$^1/_2$ tasse 1 c. à thé	$^1/_2$ tasse 1 c. à thé	$^3/_4$ tasse 1 c. à thé
*Muffin au blé entier et à la semoule de maïs	1 muffin	2 muffins	2 muffins
Margarine	1 c. à thé	2 c. à thé	1 c. à thé
*Croustillant aux pêches	$^1/_2$ tasse	$^1/_2$ tasse	$^1/_2$ tasse
COLLATIONS			
Bagel	1 moyen	1 moyen	1 moyen
Margarine	1 c. à thé	2 c. à thé	2 c. à thé
Gelée	1 c. à thé		2 c. à thé
Poire		1 petite	1 petite
Yogourt aux fruits faible en gras			$^1/_2$ tasse
Arachides rôties			2 $^1/_2$ c. à table ($^1/_2$ once)

JOUR 2: Menu et portions dans chaque groupe alimentaire pour 3 niveaux de calories (suite)

	1 600 calories	2 200 calories	2 800 calories
NOMBRE DE PORTIONS			
Pain et céréales	7 $^1/_2$	11 $^1/_2$	13 $^1/_2$
Légumes	4 $^1/_4$	4 $^1/_2$	5
Fruits	2 $^1/_4$	3 $^1/_4$	4 $^1/_4$
Lait et produits laitiers	2	2	2 $^1/_2$
Viandes et substituts (onces)	5 $^1/_2$	6 $^1/_2$	7
INFORMATION NUTRITIONNELLE			
Calories	1 636	2 236	2 823
Gras (g)	40	71	93
Pourcentage des calories provenant du gras	22%	28%	29%
Gras saturé (g)	8	18	23
Pourcentage des calories provenant du gras saturé	5%	7%	7%
Cholestérol (mg)	255	336	397
Sodium (mg)	1 805	2 331	2 676
Fibres (g)	20	27	39

JOUR 3: Menu et portions dans chaque groupe alimentaire pour 3 niveaux de calories

	1 600 calories	2 200 calories	2 800 calories
DÉJEUNER			
Pamplemousse, moyen	1 demi	1 demi	1 demi
Céréales prêtes-à-servir	1 once	1 once	1 once
Banane		1 moyenne	1 moyenne
Muffin anglais avec raisins, grillé	$^1/_2$ muffin	1 muffin	1 muffin
Margarine		2 c. à thé	2 c. à thé
Gelée	1 c. à thé		
Lait écrémé	$^1/_2$ tasse	$^1/_2$ tasse	1 tasse
DÎNER			
*Salade Taco	1 tasse de laitue $^3/_4$ tasse de chili	1 tasse de laitue $^3/_4$ tasse de chili	1 tasse de laitue $^3/_4$ tasse de chili
Sorbet	$^1/_2$ tasse		$^1/_2$ tasse
Biscuits au gingembre		2 moyens	3 moyens
Lait écrémé			1 tasse
SOUPER			
*Sauté de porc et légumes riz	1 tasse $^3/_4$ tasse	1 tasse $^3/_4$ tasse	1 tasse $^3/_4$ tasse
Brocoli cuit	$^1/_2$ tasse	$^1/_2$ tasse	1 tasse
Petit(s) pain(s) blanc(s)	1 petit	2 petits	2 petits
Margarine		2 c. à thé	2 c. à thé
Ananas en morceaux	$^1/_2$ tasse	$^1/_2$ tasse	$^1/_2$ tasse
COLLATIONS			
Lait écrémé	1 tasse		
Jus de tomates non salé		$^3/_4$ tasse	
Jus d'orange			$^3/_4$ tasse
Craquelins au blé	6	6	6
Fromage cheddar		1 $^1/_2$ once	1 $^1/_2$ once
Sandwich à la dinde: poitrine de dinde cuite feuille de laitue pain de seigle mayonnaise faible en calories		1 once 1 feuille 1 tranche $^1/_2$ c. à table	2 onces 1 feuille 2 tranches 1 c. à table
Légumes crus (chou-fleur, brocoli, carotte)			6 morceaux
Trempette aux épinards			2 c. à table

JOUR 3: Menu et portions dans chaque groupe alimentaire pour 3 niveaux de calories (suite)

	1 600 calories	2 200 calories	2 800 calories
NOMBRE DE PORTIONS			
Pain et céréales	6 $^1/_4$	10 $^1/_4$	11 $^3/_4$
Légumes	3 $^1/_2$	4 $^1/_2$	5 $^1/_2$
Fruits	2	3	4
Lait et produits laitiers	2	2	3 $^1/_2$
Viandes et substituts (onces)	5 $^1/_2$	6 $^1/_2$	7 $^1/_2$
INFORMATION NUTRITIONNELLE			
Calories	1 595	2 194	2 782
Gras (g)	37	73	84
Pourcentage des calories provenant du gras	21%	29%	27%
Gras saturé (g)	12	25	28
Pourcentage des calories provenant du gras saturé	7%	10%	9%
Cholestérol (mg)	129	182	222
Sodium (mg)	1 681	2 560	3 171
Fibres (g)	19	25	30

JOUR 4: Menu et portions dans chaque groupe alimentaire pour 3 niveaux de calories

	1 600 calories	2 200 calories	2 800 calories
DÉJEUNER			
Fraises fraîches en tranches	$^1/_2$ tasse	$^1/_2$ tasse	$^1/_2$ tasse
Flocons de blé entier	1 once	1 once	1 once
Oeuf cuit dur			1
Bagel nature grillé	$^1/_2$ moyen	1 moyen	1 moyen
Fromage à la crème	$^1/_2$ c. à table	1 c. à table	2 c. à table
Lait 2 %	1 tasse	1 tasse	1 tasse
DÎNER			
Sandwich au poulet grillé:			
filet de poitrine de poulet	2 onces	2 onces	2 onces
mayonnaise	1 sachet	1 sachet	1 sachet
tranche de tomate, feuille de laitue	1 de chaque	1 de chaque	1 de chaque
pain hamburger de blé entier	1 pain	1 pain	1 pain
*Salade de chou Confetti	$^1/_2$ tasse	$^1/_2$ tasse	$^1/_2$ tasse
Orange		1 moyenne	1 moyenne
Lait 2 %	1 tasse	1 tasse	1tasse
*Gâteau au citron			1 tranche
SOUPER			
*Lentilles Stroganoff	$1^1/_2$ tasse	$1^1/_2$ tasse	$1^1/_2$ tasse
nouilles	$^3/_4$ tasse	$^3/_4$ tasse	$^3/_4$ tasse
Fèves vertes cuites	$^1/_2$ tasse	$^1/_2$ tasse	1 tasse
avec margarine		1 c. à thé	1 c. à thé
Salade de tomates et concombres	1 portion	1 portion	1 portion
Vinaigrette faible en calories	1 c. à table	1 c. à table	1 c. à table
Petit(s) pain(s) pumpernickel		1 petit	2 petits
Margarine		1 c. à thé	2 c. à thé
Melon au miel	$^1/_8$ moyen	$^1/_8$ moyen	$^1/_4$ moyen
COLLATIONS			
Jus de légumes non salé		$^3/_4$ tasse	$^3/_4$ tasse
Sandwich au roast-beef:			
roast-beef	1 once	2 onces	2 onces
feuille de laitue	1 feuille	1 feuille	1 feuille
moutarde préparée	1 c. à thé	1 c. à thé	1 c. à thé
pain de blé entier	1 tranche	2 tranches	2 tranches
Limonade			1 tasse
Lait 2 %		1 tasse	1 tasse

JOUR 4: Menu et portions dans chaque groupe alimentaire pour 3 niveaux de calories (suite)

	1 600 calories	2 200 calories	2 800 calories
NOMBRE DE PORTIONS			
Pain et céréales	6 $\frac{1}{2}$	9 $\frac{1}{2}$	11 $\frac{1}{4}$
Légumes	4 $\frac{1}{4}$	5 $\frac{1}{4}$	6 $\frac{1}{4}$
Fruits	2	3	4
Lait et produits laitiers	2 $\frac{1}{4}$	3 $\frac{1}{4}$	3 $\frac{1}{4}$
Viandes et substituts (onces)	5	6	7
INFORMATION NUTRITIONNELLE			
Calories	1 624	2 197	2 793
Gras (g)	40	59	82
Pourcentage des calories provenant du gras	22%	24%	26%
Gras saturé (g)	13	20	28
Pourcentage des calories provenant du gras saturé	7%	8%	9%
Cholestérol (mg)	186	238	513
Sodium (mg)	1 747	2 431	2 966
Fibres (g)	25	34	38

JOUR 5: Menu et portions dans chaque groupe alimentaire pour 3 niveaux de calories

	1 600 calories	2 200 calories	2 800 calories
DÉJEUNER			
Cantaloup	¹/₄ moyen	¹/₄ moyen	¹/₄ moyen
*Crêpes de blé entier	2	2	3
*Sauce aux bleuets	¹/₄ tasse	¹/₄ tasse	6 c. à table
Margarine		1 c. à thé	2 c. à thé
*Croquette de dinde		1¹/₂ once	1¹/₂ once
Lait	écrémé: 1 tasse	écrémé: 1 tasse	2%: 1 tasse
DÎNER			
*Pomme de terre garnie de chili	³/₄ tasse de chili 1 pomme de terre	³/₄ tasse de chili 1 pomme de terre	³/₄ tasse de chili 1 pomme de terre
Fromage cheddar faible en gras et en sodium		3 c. à table	3 c. à table
*Salade aux épinards et à l'orange	1 tasse	1 tasse	1 tasse
Craquelins au blé	6	6	6
Raisins			12
Biscuits aux figues			2
Lait		écrémé: 1 tasse	2%: 1 tasse
SOUPER			
*Poulet glacé aux abricots	1 demi-poitrine	1 demi-poitrine	1 demi-poitrine
*Pilaf aux riz et pâtes	³/₄ tasse	³/₄ tasse	³/₄ tasse
Courgettes à la vapeur			¹/₂ tasse
Salade	1 tasse	1 tasse	1 tasse
Vinaigrette italienne faible en calories	1 c. à table	1 c. à table	
Vinaigrette italienne régulière			1 c. à table
Petit(s) pain(s)	1 petit	2 petits	2 petits
Margarine		2 c. à thé	2 c. à thé
Lait glacé à la vanille	¹/₂ tasse	¹/₂ tasse	¹/₂ tasse
COLLATIONS			
Biscuits aux figues	1		
Lait écrémé	³/₄ tasse		
Pomme		¹/₂ moyenne	¹/₂ moyenne
Pretzel mou		1 gros	1 gros
Limonade			1 tasse
Lait 2 %			1 tasse

226

JOUR 5: Menu et portions dans chaque groupe alimentaire pour 3 niveaux de calories (suite)

	1 600 calories	2 200 calories	2 800 calories
NOMBRE DE PORTIONS			
Pain et céréales	6 $^1/_2$	9 $^1/_2$	11 $^1/_4$
Légumes	4 $^1/_4$	5 $^1/_4$	6 $^1/_4$
Fruits	2	3	4
Lait et produits laitiers	2 $^1/_4$	3 $^1/_4$	3 $^1/_4$
Viandes et substituts (onces)	5	6	7
INFORMATION NUTRITIONNELLE			
Calories	1 624	2 197	2 793
Gras (g)	40	59	82
Pourcentage des calories provenant du gras	22%	24%	26%
Gras saturé (g)	13	20	28
Pourcentage des calories provenant du gras saturé	7%	8%	9%
Cholestérol (mg)	186	238	513
Sodium (mg)	1 747	2 431	2 966
Fibres (g)	25	34	38

(tiré du document; Using the Food Guide Pyramid: A Resource for Nutrition Educators, de Shaw, Fulton, Davis et Hogbin, U.S. Department of Agriculture, Food, Nutrition, and Consumer Services)

Les éléments nutritifs contenus dans votre menu de 5 jours

Vous retrouvez ici les principaux éléments nutritifs contenus dans les menus à 1 600, 2 200 et 2 800 calories. Pour certains éléments nutritifs importants, le pourcentage de l'apport quotidien recommandé qu'ils représentent est aussi indiqué. Les recommandations varient en fonction de l'âge, du sexe et de certains facteurs comme la grossesse et l'allaitement. Un apport de 100% signifie que cette alimentation procure, en une journée, la quantité recommandée de l'élément nutritif en question. Dans le menu proposé, l'apport de ces nutriments importants surpasse le minimum recommandé.

Éléments nutritifs contenus dans les menus selon trois niveaux de calories différents, comparés à l'apport quotidien recommandé en fonction de l'âge et du sexe 1

MENUS	Énergie (kcal)	Prot (g)	Gluc (g)	Gras (g)	G. Sat (g)	G. mono (g)	G. poly (g)
1600 calories							
Jour 1	1 593	92	237	36,6	8,7	13,1	11,5
Jour 2	1 636	93	231	39,9	8,5	12,5	15,1
Jour 3	1 595	84	237	37,2	12,5	15,1	6,1
Jour 4	1 624	95	229	40,2	13,3	12,2	11,0
Jour 5	1 665	90	250	38,3	11,2	12,6	10,5
Moyenne	1 623	91	237	38,4	10,8	13,1	10,8
Pourcentage de l'apport quotidien recommandé							
E 7-10 ans		325					
F 25-50 ans		182					
F 51 ans et +		182					
2200 calories							
Jour 1	2 247	109	312	72,9	18,8	26,8	22,0
Jour 2	2 236	109	299	70,8	18,0	22,6	24,3
Jour 3	2 194	105	289	73,0	24,6	26,9	15,5
Jour 4	2 197	122	305	59,1	20,1	18,2	15,5
Jour 5	2 199	120	305	59,2	16,6	19,6	17,6
Moyenne	2 215	113	302	67,0	19,6	22,8	19,0

Éléments nutritifs contenus dans les menus selon trois niveaux de calories différents, comparés à l'apport quotidien recommandé en fonction de l'âge et du sexe   1

MENUS	Énergie (kcal)	Prot (g)	Gluc (g)	Gras (g)	G. Sat (g)	G. mono (g)	G. poly (g)
Pourcentage de l'apport quotidien recommandé							
E 7-10 ans		403					
H 25-50 ans		179					
H 51 ans et +		179					
F 11-14 ans		245					
F 25 - 50 ans		226					
F enceintes		188					
2800 calories							
Jour 1	2 783	133	416	78,6	19,8	28,9	23,7
Jour 2	2 823	130	386	92,8	23,0	32,2	32,2
Jour 3	2 782	135	383	83,9	28,2	29,8	18,8
Jour 4	2 783	138	391	82,3	27,6	26,6	20,8
Jour 5	2 859	134	400	86,6	27,3	27,7	24,4
Moyenne	2 808	134	395	84,8	25,2	29,0	24,0
Pourcentage de l'apport quotidien recommandé							
H 15-18 ans		227					
H 25-50 ans		213					
F qui allaitent		206					

Éléments nutritifs contenus dans les menus selon trois niveaux de calories différents, comparés à l'apport quotidien recommandé en fonction de l'âge et du sexe   2

MENUS	Cholest (mg)	Fibres (g)	Vita (UI)	Vita (ER)	Caro (ER)	Thiamine (mg)	Ribo (mg)	Niacine (mg)	VitB (mg)	Folate (mcg)
1600 calories										
Jour 1	82	32	7 122	1 020	557	1,5	1,9	20	1,5	410
Jour 2	255	20	5 179	956	301	1,7	2,1	20	1,8	268
Jour 3	129	19	14 021	1 720	1 239	2,6	2,3	24	2,4	377
Jour 4	186	25	5 164	977	275	1,9	2,4	27	2,2	519
Jour 5	183	23	11 422	1 404	1 012	1,5	2,0	29	2,3	314

Éléments nutritifs contenus dans les menus selon trois niveaux de calories différents, comparés à l'apport quotidien recommandé en fonction de l'âge et du sexe 2

MENUS	Cholest (mg)	Fibres (g)	Vita (UI)	Vita (ER)	Caro (ER)	Thiamine (mg)	Ribo (mg)	Niacine (mg)	VitB (mg)	Folate (mcg)
Moyenne	167	24	8 582	1 215	677	1,8	2,1	24	2,0	378
Pourcentage de l'apport quotidien recommandé										
E 7-10 ans				174		184,4	178,5	185	145,9	378
F 25-50 ans				152		167,6	164,8	160	127,6	210
F 51 ans et +				152		184,4	178,5	185	127,6	210
2200 calories										
Jour 1	103	41	17 007	2 031	1 535	1,9	2,4	29	1,8	486
Jour 2	336	27	6 222	1 155	356	2,1	2,5	23	2,1	306
Jour 3	182	25	15 827	2 004	1 376	3,1	2,6	31	3,4	475
Jour 4	238	34	8 565	1 493	529	2,6	3,2	33	2,8	655
Jour 5	236	25	12 217	1 610	1 028	1,8	2,4	34	2,6	342
Moyenne	219	30	11 968	1 659	965	2,3	2,6	30	2,6	453
Pourcentage de l'apport quotidien recommandé										
E 7-10 ans				237		228,0	218,5	232	182,3	453
H 25-50 ans				166		152,0	154,2	159	127,6	226
H 51 ans et +				166		190,0	187,3	201	127,6	226
F 11-14 ans				207		207,3	201,7	201	182,3	302
F 25 - 50 ans				207		207,3	201,7	201	159,5	251
F enceintes				207		152,0	163,9	177	116,0	113
2800 calories										
Jour 1	124	49	17 293	2 070	1 558	2,3	3,1	33	2,9	575
Jour 2	397	39	7 419	1 303	461	2,6	3,1	31	2,7	408
Jour 3	222	30	20 884	2 676	1 795	3,5	3,5	34	3,9	660
Jour 4	513	38	10 233	1 869	597	2,9	3,8	36	3,1	724
Jour 5	309	31	13 462	1 859	1 090	2,2	3,2	37	2,9	393
Moyenne	313	37	13 858	1 955	1 100	2,7	3,3	34	3,1	552
Pourcentage de l'apport quotidien recommandé										
H 15-18 ans				196		179,0	186,0	170	154,0	276
H 25-50 ans				196		179,0	197,0	179	154,0	276
F qui allaitent				150		168,0	186,0	170	147,0	197

Éléments nutritifs contenus dans les menus selon trois niveaux de calories différents, comparés à l'apport quotidien recommandé en fonction de l'âge et du sexe   3

MENUS	VitB12 (mcg)	VitC (mg)	VitE (a-TE)	Calcium (mg)	Phos (mg)	Magn (mg)	Fer (mg)	Zinc (mg)	Cuivre (mg)	Sodium (mg)
1600 calories										
Jour 1	6,1	170	6	978	1 642	373	15	12	1,6	1 920
Jour 2	3,5	215	9	975	1 505	316	12	9	1,3	1 805
Jour 3	3,4	188	5	1 008	1 337	299	16	15	1,2	1 681
Jour 4	4,5	203	4	1 006	1 554	335	20	10	1,5	1 747
Jour 5	3,9	196	7	1 032	1 534	378	13	10	1,7	1 861
Moyenne	4,3	194	6	1 000	1 514	340	15	11	1,5	1 803
Pourcentage de l'apport quotidien recommandé										
E 7-10 ans	305,3	435	89	125	189	200	150	113		
F 25-50 ans	213,7	326	77	125	189	121	100	94		
F 51 ans et +	213,7	326	77	125	189	121	150	94		
2200 calories										
Jour 1	6,1	183	12	1 076	1 921	498	18	14	2,0	2 668
Jour 2	3,9	229	12	1 131	1 722	387	15	11	1,7	2 331
Jour 3	2,9	227	10	1 117	1 499	374	21	16	1,7	2 560
Jour 4	6,1	325	7	1 439	2 042	457	24	14	2,2	2 431
Jour 5	4,4	200	9	1 311	1 854	420	16	14	1,9	3 138
Moyenne	4,7	233	10	1 215	1 808	427	19	14	1,9	2 626
Pourcentage de l'apport quotidien recommandé										
E 7-10 ans	333,3	518	145	152	226	251	188	137		
H 25-50 ans	233,3	388	102	152	226	122	188	92		
H 51 ans et +	233,3	388	102	152	226	122	188	92		
F 11-14 ans	233,3	466	127	101	151	153	126	114		
F 25 - 50 ans	233,3	388	127	152	226	153	126	114		
F enceintes	212,1	333	102	101	151	134	63	92		
2800 calories										
Jour 1	8,0	200	13	1 498	2 428	640	21	18	2,4	3 044
Jour 2	4,6	263	16	1 518	2 310	605	20	16	2,3	2 676
Jour 3	4,6	384	11	1 784	2 128	489	24	20	1,9	3 171
Jour 4	6,7	373	10	1 568	2 287	513	28	16	2,5	2 968
Jour 5	5,4	225	13	1 752	2 235	531	19	16	2,2	3 508

Éléments nutritifs contenus dans les menus selon trois niveaux de calories différents, comparés à l'apport quotidien recommandé en fonction de l'âge et du sexe   3

MENUS	VitB12 (mcg)	VitC (mg)	VitE (a-TE)	Calcium (mg)	Phos (mg)	Magn (mg)	Fer (mg)	Zinc (mg)	Cuivre (mg)	Sodium (mg)
Moyenne	5,9	289	13	1 624	2 278	556	22	17	2,3	3 073
Pourcentage de l'apport quotidien recommandé										
H 15-18 ans	294,0	482	127	135	190	139	185	115		
H 25-50 ans	294,0	482	127	203	285	159	222	115		
F qui allaitent	226,0	304	106	135	190	157	148	91		

(Tiré du document; Using the Food Guide Pyramid: A Resource for Nutrition Educators, de: Shaw, Fulton, Davis et Hogbin, U.S. Department of Agriculture, Food, Nutrition, and Consumer Services)

GROSSESSE et EMBONPOINT

Aide-mémoire général pour la future maman
qui doit contrôler son gain de poids

Ce que vous devez manger chaque jour

Famille d'aliments	Quantité	Exemples de portions
Lait et substituts du lait	4 dont au moins 2 portions de lait (ou boisson de soya enrichie)	• Lait nature 1% ou écrémé: 1 grand verre (250 ml ou 1 tasse) • Lait de chèvre enrichi partiellement écrémé ou écrémé: 1 grand verre • Boisson de soya enrichie: 1 grand verre • 1 contenant de yogourt faible en gras (175 g) • environ 2 doigts (50 g) de fromage de moins de 20% M.G. • 2 tranches de fromage fondu écrémé ou partiellement écrémé
Fruits	3 à 4 dont au moins 1 fruit/jus orangé	• 1 fruit moyen • fruits frais, en conserve rincés à l'eau ou surgelés: 125 ml ($\frac{1}{2}$ tasse) • 1 verre de jus de fruits:125 ml ($\frac{1}{2}$ tasse)
Légumes	3 à 5 dont au moins 1 légume vert foncé ou orangé	• 1 légume moyen • légumes frais, en conserve ou surgelés: 125 ml ($\frac{1}{2}$ tasse) • 1 bol de salade ou verdures: 250 ml (1 tasse)
Produits céréaliers	6 à 8 le plus souvent possible à grains entiers	Compte pour 1 portion: • 1 tranche de pain (blé entier, seigle, multigrains, pumpernickel, blé concassé, son…) • céréales: environ 175 ml ($\frac{3}{4}$ tasse) • riz, couscous, orge, millet cuits: 125 ml ($\frac{1}{2}$ tasse) Compte pour 2 portions: • 1 bagel, 1 pita, 1 petit pain, 1 pain kayser ou pain hamburger • pâtes cuites: 250ml (1 tasse)

Famille d'aliments	Quantité	Exemples de portions
Viandes et compagnie (volailles, poissons, œufs, légumineuses, tofu, noix, graines)	2	90 g (3 oz) cuits (ou grosseur d'un paquet de cartes): • de viande maigre comme 1 boulette de bœuf ou d'agneau haché ou 1 côtelette de porc ou de veau • de volaille comme 1 cuisse ou $^1/_2$ poitrine de poulet sans peau • de poisson comme 1 filet ou 1 petite darne • 2 gros œufs • tofu: 100 g ($^1/_3$) tasse comble) • légumineuses: 250 ml (1 tasse) • noix et graines: 125 ml ($^1/_2$ tasse) ou 2 bonnes poignées à l'occasion seulement
Huile extra-vierge ou pressée à froid	15 ml ou 1 c. à table	Huiles de canola, de carthame, de germe de blé, de lin, de noix, d'olive, de soya, de tournesol…
Liquides	2 litres ou 8 tasses	Inclut l'eau, le lait, les jus, les bouillons, etc.

Tiré du livre «L'alimentation durant la grossesse», d'Hélène Laurendeau et Brigitte Coutu avec la permission des Éditions de l'Homme.

MENU DE SEMAINE

Modifié pour la future maman qui doit contrôler son gain de poids

Choix d'aliments	Produits céréaliers	Fruits et légumes	Lait et substituts du lait	Viandes et compagnie
Déjeuner Demi-pamplemousse rose Céréales de blé filamenté Avec lait écrémé Café au lait écrémé moitié-moitié	 1 	 1 	 $^1/_2$ $^1/_2$	
Collation 2 galettes de riz compote de pommes sans sucre	 1 	 1		
Boîte à lunch Jus de légumes individuel Sandwich au thon dans pita de blé entier, avec yogourt nature ou mayonnaise légère Salade d'épinards et mandarines (incluant 15 ml d'huile extra-vierge) Yogourt à la vanille faible en gras	 2 	 1 1 	 1	 1
Collation de la machine distributrice Berlingot de lait écrémé			 1	
Souper Crudités: carottes, poivrons, chou-fleur… 2 côtelettes d'agneau riz brun (125 ml ou $^1/_2$ tasse) courgettes grillées pain aux canneberges et à l'orange non glacé et peu sucré verre de lait écrémé	 1 1 	 1 1 $^1/_2$ 	 1	 1
En soirée Quartier de cantaloup Une poignée de graines de tournesol (séchées et non rôties à l'huile)		 1 		 $^1/_2$
TOTAL: SUGGÉRÉ:	6 6-8	$7^1/_2$ 6-9	4 4	$2^1/_2$ 2

Tiré du livre «L'alimentation durant la grossesse», d'Hélène Laurendeau et Brigitte Coutu avec la permission des Éditions de l'Homme.

Comment connaître le nombre de portions contenues dans un mets composé*?

Pour évaluer le nombre de portions provenant de chaque groupe alimentaire contenues dans un des mets composés (ex. nouilles au thon en casserole, pizza ou chili con carne) vous devez:

- déterminer les principaux aliments qui composent le mets;
- évaluer la quantité que vous avez mangée de chaque aliment;
- en comparant au tableau des portions du Guide alimentaire, juger approximativement combien de portions cela représente.

Prenons l'exemple des nouilles au thon en casserole.

Une portion de ce mets peut contenir:

- 2 portions de produits céréaliers (1 tasse de pâtes)
- 1 portion de viande (50g ou $\frac{1}{3}$ de boîte de thon)
- $\frac{1}{2}$ portion de produits laitiers ($\frac{1}{2}$ tasse de lait dans la sauce blanche)
- 1 portion de légumes ($\frac{1}{2}$ tasse de pois, céleri, oignon)
- 1 autre aliment (1 c. à thé de beurre dans la sauce)

Tiré du Guide alimentaire canadien pour manger sainement

Quelques conseils de planification*

1. Si vous avez peu de temps pour cuisiner en semaine, profitez des fins de semaine pour préparer quelques plats en grandes quantités et congelez pour la semaine à venir. Cuire un *roast-beef* ou une dinde demande peu d'attention au cours de la cuisson et cela permet de faire de bons plats ou sandwiches en semaine.

2. Faites de grosses chaudronnées, tels que des pot-au-feu ou des soupes nourrissantes. Cela réduira d'autant la vaisselle à laver.

3. Les emballages de légumes pré-coupés sont très pratiques et représentent une économie de temps et parfois d'argent. En effet, en achetant de grandes quantités de légumes frais, parfois moins chers à l'achat, il peut arriver que l'on en perde une partie faute de pouvoir les consommer assez rapidement. Les légumes congelés sont aussi une excellente façon d'inclure des légumes dans vos repas.

4. Pour une cuisine économique et nutritive, élaborez vos menus à partir de pâtes ou de grains tels que le riz ou le couscous accompagnés de petites quantités de viande, volaille ou poisson.

5. Pour vous aider à planifier, sachez qu'une livre de viande ou volaille (454 g), maigre et désossée donnera quatre portions de 3 onces (90 g) une fois cuit.

6. Pour des repas nourrissants et économiques, essayez les légumineuses: haricots et pois divers, lentilles, etc. Vous voudrez peut-être essayer les recettes de soupe aux pois ou de lentilles Stroganoff présentées dans *Vos Outils*.

Quelques conseils pour lire les étiquettes*

Les règlements obligent maintenant les compagnies à indiquer les valeurs nutritives sur les emballages. Pour les fruits et les légumes, cette information est disponible en magasin. Trois informations sont capitales pour planifier votre alimentation.

La liste des ingrédients

Un produit doit afficher ses composantes dans un ordre décroissant de masse. C'est-à-dire, en commençant par l'ingrédient présent en plus grande quantité et en terminant par celui dont la quantité est la moindre. Cela permet ainsi d'identifier le groupe d'aliments principal de ce produit. Par exemple, sur l'étiquette d'une préparation de tapioca, on peut lire: lait en poudre sans gras, sucre, gélatine, etc. Ce produit appartient donc au groupe des produits laitiers. La liste des ingrédients permet aussi de connaître la quantité relative d'un groupe alimentaire dans un mets composé. Ainsi, un ragoût de bœuf en boîte indiquant: bœuf, carotte, sauce…contiendra davantage de viande que celui indiquant: sauce, carotte, bœuf…

La taille de la portion

La réglementation oblige également le fabriquant à indiquer sur l'étiquette ce qu'il entend par portion. Par exemple, sur une bouteille de jus de légumes, on peut lire: Portion = 1 tasse (8 onces). Il est important de noter que le Guide alimentaire considère qu'une quantité de $3/_4$ tasse ou 6 onces constitue une portion. Ainsi dans ce cas la portion indiquée sur la bouteille de jus de légumes équivaudrait, selon le Guide alimentaire canadien, à 1 $1/_3$ portion.

Les calories, le gras (en grammes), le gras saturé (en grammes), le sodium (en milligrammes).

Ces informations figurent sur l'étiquette. Cependant, les quantités indiquées ont été calculées en fonction de ce que le fabricant considère être une portion. Comme nous l'avions expliqué plus haut, une conversion peut s'avérer nécessaire. Par exemple, dans le jus de légumes de tout à l'heure, on peut li-

238

re:sodium: 885 mg. Ceci correspond à une portion indiquée sur cette même étiquette, soit1 tasse. Puisque le Guide recommande $^3/_4$ tasse par portion, ce verre de jus contient en effet 664 mg de sodium.

(Tiré du document; Using the Food Guide Pyramid: A Resource for Nutrition Educators, de: Shaw, Fulton, Davis et Hogbin, U.S. Department of Agriculture, Food, Nutrition, and Consumer Services)

Pour votre cuisine

Les livres présentés ici sont de véritables perles, des incontournables pour les adeptes du Guide alimentaire canadien.

Un Guide d'achats

Votre épicerie au goût du cœur, *la façon santé d'acheter*, par Ramona Josephson, Les Éditions du Trécarré. Grâce à ce livre, votre banal chariot d'épicerie devient un atout majeur dans une toute nouvelle façon de faire vos achats, et ce, tout en respectant les consignes du Guide alimentaire canadien pour manger sainement.

Des livres de recettes

Pour faciliter votre tâche, les auteurs de ces livres de recettes, ont indiqué pour chaque portion d'un mets en particulier, combien il contient de portions de produits céréaliers, de légumes/fruits, de produits laitiers et de viandes et substituts. Ces petites mines d'informations vous renseignent aussi sur le nombre de calories, la quantité de protéines, de glucides, de matières grasses, de fibres et de sodium présents dans chaque portion des mets suggérés. Vous pourrez ainsi servir à votre famille et à vos amis des repas sains suivant les recommandations du Guide alimentaire canadien. Par exemple, le livre *Au goût du cœur*, vous simplifie la vie en présentant une série de menus complets pour toutes sortes d'occasions. Ainsi, vous aurez des suggestions pour des soupers en famille prêts en 30 min ou moins, adaptés selon la saison. Vous aurez aussi une liste de soupers « 4 saisons » prêts en 15 min, des dizaines de suggestions de repas-minute pour une personne et de nombreux soupers éclair improvisés. On vous présente aussi des menus complets pour repas spéciaux, tels: dîner-réception pour 8 personnes, buffet pour 12 personnes, dîner-réception prêt en une heure et buffet pour une grande tablée.

Bons mets vite faits! (2000) par Lynn Roblin et Bev Callaghan* pour les Diététistes du Canada. Les Éditions du Trécarré.

Survivre à l'heure du souper (1996) par Lynn Roblin et Bev Callaghan pour les Diététistes du Canada. Les Éditions du Trécarré.

* *Ces deux auteures sont diététistes et respectivement mères de 4 et 3 enfants. Ce sont donc des expertes de l'alimentation saine, équilibrée et rapide!*

Le plaisir de mieux manger par les Diététistes du Canada. Les Éditions du Trécarré.

Cuisine chinoise au goût du cœur (1996) par Stephen Wong pour la Fondation des maladies du cœur du Canada.

Cœur atout, simple comme tout (1995) par Bonnie Stern pour la Fondation des maladies du cœur du Canada.

Au goût du cœur, recettes de tous les jours (1991) par Anne Lindsay pour la Fondation des maladies du cœur du Canada.

L'équipe de Minçavi a préparé une série de livres de recettes s'inspirant des recommandations du Guide alimentaire canadien. Ils peuvent être achetés aux différents points de services ou commandés par téléphone ou encore Internet (voir ressources ci-dessous) .

Autres ressources et suggestions utiles

Compulsion alimentaire

Outremangeurs Anonymes (Overeaters Anonymous)
Tél: Etats-Unis: (505) 891-4320   Canada: (514) 490-1939
overeatr@technet.nm.org
www.overeatersanonymous.org

Ce programme, fondé en 1960, regroupe maintenant plus de 9000 centres dans plus de 90 pays.

Perdre du poids en accord avec les recommandations du guide alimentaire canadien; quelques options

Les diététistes du Canada

Vous voudrez peut-être consulter une diététiste/nutritionniste qui pourra élaborer un régime alimentaire personnalisé en fonction de vos besoins spécifiques. Non seulement une diététiste pourra créer un régime pour la perte de poids, elle pourra aussi vous guider vers les aliments les plus appropriés si vous avez des problèmes de santé, tels: allergies, diabète, asthme, hypertension, etc. Certaines diététistes connaissent bien l'alimentation de diverses communautés ethniques (juive, haïtienne, chinoise, etc.) ce qui peut-être pourra vous intéresser si vous appartenez à l'une d'entre elles. Les recommandations du Guide alimentaire canadien peuvent s'adapter à toutes sortes de menus! Consultez la rubrique «diététistes/nutritionnistes» dans les pages jaunes. Les numéros et adresses ci-dessous peuvent aussi vous être utiles.

www.dietitians.ca
fax (416) 596-0603

Réseau des diététistes conseils:
1-888-901-7776

Pour les diététistes du Québec, vous pouvez consulter le site web de l'Ordre Professionnel des Diététistes du Québec. Vous y trouverez aussi des chroniques sur l'alimentation et la nutrition.

Ordre Professionnel des Diététistes du Québec
www.opdq.org
1-888-393-8523, région de Montréal: (514) 393-3733

Minçavi inc.

Fondée au Québec en 1984 par une mère de famille de 8 enfants, Minçavi compte maintenant plus de 200 points de services situés surtout au Québec, mais aussi en Ontario et au Nouveau-Brunswick. Outre l'enseignement du Guide alimentaire et de son utilisation au quotidien, le programme comporte des rencontres hebdomadaires, des dégustations de mets-santé, et des conférences de motivation données par des personnes ayant perdu du poids et maintenu cette perte de poids grâce au programme. Un forum de discussion sur Internet, vous permet d'échanger avec d'autres personnes qui tentent de perdre du poids. Une diététiste et une intervenante en psychologie sont aussi disponibles pour des consultations individuelles.

Tél.: 1-800-567-2761
mincavi@mincavi.com
www.mincavi.com

Kilo Cardio

Mise sur pied en 1990, Kilo Cardio est une division des entreprises Énergie Cardio, inc. Il s'agit d'un programme d'amaigrissement d'une durée de 8 semaines, associant un volet d'activité physique (exercices cardio-vasculaires et musculation) en compagnie d'un entraîneur privé, à une diète basée sur les recommandations du Guide alimentaire canadien. Il existe à l'heure actuelle plus de 50 centres au Québec et au Nouveau-Brunswick. Il est possible de poser vos questions ou d'obtenir de plus amples renseignements concernant le programme en téléphonant ou en visitant leur site Web.

Tél.: 1-877-ENERGIE
www.energiecardio.com

Le groupe de diététistes Harmonie Santé

Ce regroupement de diététistes membres de l'Ordre des diététistes du Canada, vise à promouvoir la santé par le biais de trois volets: saine alimentation (basée sur les recommandations du Guide alimentaire canadien), activité physique et développement d'une saine estime de soi. Ces diététistes oeuvrant partout au Québec, offrent entre autres, des consultations individuelles ou en groupes, des programmes préventifs, des conférences, un programme «Assiette santé» à l'intention des cuisiniers et participent à des projets de recherche. Leur site Web propose un forum de discussion, des quiz variés, des recettes, des ressources dans le domaine de la nutrition et de l'activité physique ainsi qu'une boutique virtuelle. À partir de celle-ci, vous pouvez vous procurer leur livre de recettes québécoises à teneur réduite en gras et en sucre, un agenda alimentaire vous permettant de prendre en note ce que vous mangez tous les jours, ainsi qu'un vidéo d'exercices préparé en collaboration avec une éducatrice physique.

1-877-HARMONIE
www.harmoniesante.com

Pour ceux et celles qui voudraient tenter l'expérience par leurs propres moyens:

Consultez le site web des diététistes du Canada (voir ci-dessous).

Je suggère de vous procurer quelques livres de recettes parmi ceux que j'ai proposés un peu plus haut. Plusieurs de ces livres contiennent des informations précises sur le nombre de calories et la quantité de gras par portion, mais aussi, sur le nombre de portions de chacun des groupes alimentaires présents dans le mets. Vous pourrez ainsi planifier rapidement votre menu, sachant qu'il sera sain et équilibré.

Partagez vos expériences avec d'autres qui vivent la même situation. Pour ce faire, essayez de convaincre un membre de votre famille, une amie ou un collègue de travail d'entreprendre cette démarche de perte de poids avec vous. Ou encore, joignez-vous à un forum de discussion sur Internet ayant pour thème la perte de poids.

Le site Web des Diététistes du Canada

Ce site vous offre toutes sortes d'outils intéressants. Voici quelques exemples:

Votre profil nutritionnel. En fonction de l'information que vous entrerez à l'ordinateur, on pourra déterminer votre profil nutritionnel individualisé. Cet outil compare vos choix d'aliments aux recommandations nutritionnelles et formulera des commentaires personnalisés qui vous aideront à atteindre vos objectifs de saine alimentation et de vie active.

Le planificateur de repas. Cet outil vous aidera à déterminer quels aliments manger et en quelles quantités en apportant une attention particulière aux matières grasses et aux fibres.

Le jeu questionnaire Corps en santé. Ce jeu vous aidera à déterminer votre niveau d'activité et si votre poids se situe dans l'intervalle-santé.

Santé Canada
Ottawa, Ontario
K1A 0K9
Tél. (613) 954-5995
www.hc-sc.gc.ca

Pour information sur les divers programmes et services de Santé Canada:

info@www.hc-sc.gc.ca

Vous trouverez sur le site Web de Santé Canada des publications récentes à l'intention de la population en général, des enseignants ou des professionnels de la santé. Plus précisément, vous aurez accès à de la documentation sur l'utilisation du Guide alimentaire canadien, mais aussi sur des sujets spécifiques tels la nutrition au cours de la grossesse ou l'alimentation saine pour les 6 à 12 ans. Des jeux questionnaires testant vos connaissances en matière d'alimentation sont aussi disponibles. Une trousse d'information traitant de l'approche «Vitalité» est aussi fournie. L'approche Vitalité a été développée par Santé Canada et fait la promotion d'une saine alimentation, d'une vie active et d'une image de soi positive.

Ce site offre aussi de l'information sur l'activité physique et ses bienfaits. On y trouve le «Guide d'Activité Physique Canadien pour une Vie Active Saine» qui nous suggère de nombreuses façons d'intégrer l'exercice dans notre quotidien. Une version de ce guide a aussi été conçue pour les personnes âgées. Un jeu questionnaire teste vos connaissances en matière de santé et d'exercice et vous pouvez vous abonner gratuitement à une «revue en ligne», *Flash Santé* qui traite à tous les mois d'un sujet spécifique concernant la santé, ex: diabète, santé cardio-vasculaire, cancer, nutrition, etc.

www.paguide.com

Chaire de recherche sur l'obésité Donald D. Brown

La Chaire D. D. Brown est un centre de l'Université Laval voué à la recherche, la communication et la formation sur l'obésité. Vous pourrez trouver sur ce site, des informations sur les causes et divers traitements de l'obésité, des nouvelles d'actualité concernant l'obésité, une liste de ressources pour les professionnels et pour le public, ainsi qu'une liste des colloques annuels, congrès scientifiques, séminaires et formations continues. Voici l'adresse de leur site Web:

www.obesity.chair.ulaval.ca

Institut canadien de la recherche sur la condition physique et le mode de vie

Ce site Web peut intéresser les professionnels ou les étudiants des secteurs de la santé ou de l'activité physique. Il contient de nombreux rapports et études sur l'activité physique et le mode de vie des canadiens, il offre une description des projets de recherche en cours, un répertoire des chercheurs canadiens spécialisés dans le domaine de l'activité physique, une liste de ressources (publications, sondages et enquêtes, bibliothèques en ligne, etc.), des communiqués de presse et des conseils concernant l'activité physique.

www.cflri.ca

Le site Web du *Food and Nutrition Information Center* (anglais). Ce site gouvernemental, récipiendaire de nombreux prix, est un trésor d'informations. Il traite notamment de la Pyramide alimentaire (l'équivalent américain de notre Guide alimentaire canadien) et de l'application de ses recommandations au quotidien, des suppléments alimentaires et de la composition des aliments. Il est possible de consulter de nombreux rapports et études et d'accéder à des listes de logiciels sur la nutrition. J'ai été particulièrement impressionnée par leur section *The Child Care Nutrition Resource System* à l'intention des parents et enseignants. Les parents seront ravis de consulter les nombreuses recettes et menus pour les enfants d'âge scolaire (dans *Menu Corner* - family recipes and menus). Il est aussi possible de participer à des groupes de discussion en ligne, de visionner une série de vidéos (*Cooking a World of Tastes*) ou de poser vos questions à de véritables chefs cuisiniers.

The Food and Nutrition Information Center (FNIC)
Agricultural Research Service USDA
National Agricultural Library, Room 304
10301 Baltimore Avenue
Beltsville, MD, 20105-2351
Tél. (301) 504-6409, Télécopieur: (301) 504-6409
e-mail: fnic@nal.usda.gov
www.nal.usda.gov/fnic

Autres outils

Vidéos d'exercices

(français)

avec Josée Lavigueur:

-Aérobie 101 pour débutant(e)s
-Maigrir et raffermir les cuisses et les fesses
-Maigrir et raffermir le ventre et les seins
-Josée Lavigueur, «le Step»
-Plus ferme que jamais

Groupe Harmonie Santé

-*Action Harmonie Santé*, vidéo d'exercices préparé par le groupe de diété-tistes Harmonie santé en collaboration avec Chantal Cyr, éducatrice physique (à commander au: 1-877-HARMONIE ou sur le site Web: www.harmoniesante.com)

(anglais)

-*Cardio Kickboxing & Yoga*, avec Sharon Mann (à commander chez: Burntrax:
1-800-672-8729)

-*David Snively's Walking for Fitness and Muscle Toning*, avec David Snively (à commander chez: Burntrax: 1-800-672-8729)

-Exercise Break. Logiciel d'exercices physiques à programmer sur votre ordinateur. Pour plus de renseignements ou pour le commander, adressez-vous à Paul Boisvert, PhD, directeur administratif du Centre de Recherche sur le Métabolisme Énergétique de l'Université Laval; tél (418) 656-2131, poste 8571, télécopieur (418) 656-7898, courriel: paul.boisvert@ap.ulaval.ca

Développement personnel

Suggestions d'ouvrages variés pour apprendre, vous détendre, vous motiver, vous inspirer:

Buscaglia, Leo. *Apprendre à vivre et à aimer.* Éd. Le jour, 1995.

Cabanac, Michel. *La quête du plaisir*. Étude sur le conflit des motivations. Liber, 1995.

Covey, Stephen. *Les 7 habitudes des familles épanouies*. Éditions First, 1998.

Covey, Stephen. *Les 7 habitudes de ceux qui réalisent tout ce qu'ils entreprennent*. First Business, 1996.

Douglas, Ann. *The incredible shrinking woman*. The girlfriend's guide to losing weight. Prentice Hall Canada, 2000. (anglais)

Fletcher, Ann. *Thin for life*. 10 keys to success from people who have lost weight and kept it off. Chapters Publishing, 1994. (anglais)

Goleman, Daniel. *L'intelligence émotionnelle 1.* Comment transformer ses émotions en intelligence. Laffont, 1997.

Goleman, Daniel. *L'intelligence émotionnelle 2.* Accepter ses émotions pour s'épanouir dans son travail. Laffont, 1999.

Kirby, Jane. *Maigrir pour les nuls*. Sybex, 1999.

Lambert-Lagacé, Louise. *Ménopause, nutrition et santé*. Éditions de l'homme, 1998.

Laurendeau, Hélène et Coutu, Brigitte. *L'alimentation durant la grossesse*. Éditions De l'Homme, 1999.

Lemieux, Michèle. *Prendre sa vie en main*. Québécor, 1998.

Lévesque, Aline. *Guide de survie par l'estime de soi*. Éd. Un monde différent, 2000.

Peck, Scott. *Le chemin le moins fréquenté*. Laffont, 1987.

Tribole, Evelyn & Resch, Elyse. *Intuitive eating*. St. Martin's Press, 1995. (anglais)

Vincent, Louise. *Arrêtez de manger vos émotions*. Québécor, 1999.

Young, JE et Klosko, JS. *Je réinvente ma vie*. Les Éditions de l'Homme, 1995.

Références bibliographiques complètes

La Loi du plaisir

1. Cabanac, M (1995) *La quête du plaisir.* Étude sur le conflit des motivations. Éd. Liber. Montréal, 167p.

2. Drewnowski, A, Krahn, DD, Demitrack, MA, Nairn, K, Gosnell, BA (1995) Naloxone, an opiate blocker, reduces the consumption of sweet high-fat foods in obese and lean female binge eaters. *Am. J. Clin. Nutr.* 61: 1206-12.

3. Rodin, J (1985) Insulin levels, hunger and food intake: an example of feedback loops in body weight regulation. *Health Psychol.* 4 (1): 1-24.

La Loi de la consigne

1. Cabanac, M, Gosselin, C (1996) Ponderostat: hoarding behavior satisfies the condition for a lipostat in the rat. *Appetite.* 27: 251-61.

2. Cabanac, M, Michel, C, Gosselin, C (1999) The role of CRH in body weight regulation: the behavioral approach. *Nutritional Neuroscience*, 2: 385-401.

3. Considine, RV, Sinha, MK, Heiman, ML, Kriauciunas, A, Stephens, TW, Nyce, MR, Ohannesian, JP, Marco, CC, McKee, LJ, Bauer, TL, Caro, JF (1996) Serum immunoreactive-leptin concentrations in normal-weight and obese humans. *New Engl. J. Med*. 334 (5): 292-5.

4. Doassans-Wilhem, M (1978) *Régulation pondérale dans l'obésité. Étude de l'alliesthésie gustative chez 91 obèses.* Thèse de doctorat en médecine, Université de Paris VI, Paris.

5. Fantino, M, Cabanac, M (1980) Body weight regulation with a proportional hoarding response in the rat. *Physiol. Behav*. 24: 939-42.

6. Gosselin, C, Campfield, LA, Cabanac, M (2000) Lipostat in the lean rat: evidence for a non-causal relationship between glucocorticoids and leptin levels. *Appetite*. 35: 57-63.

7. Gosselin, C, Cabanac, M (1998) Hoarding behavior in obese and control rats: evidence indicating cost differences. *Appetite*, 31, 117-124.

8. Gosselin, C, Cabanac, M (1997) Adrenalectomy lowers the body weight set-point in rats. *Physiol. Behav*. 62: 519-23.

9. Guy-Grand, B, Sitt, Y (1974) Alliesthésie gustative dans l'obésité humaine. *Nouv. Presse. Med*. 3: 92-3.

10. Hervey, GR (1959) The effects of lesions in the hypothalamus in parabiotic rats. *J. Physiol.* (London) 145: 336-52.

11. Keys, A. *The Biology of human starvation, 2 vols*. Minneapolis: University of Minnesota Press, 1950.

12. Pasquet, P, Apfelbaum, M (1994) Recovery of initial body weight and composition after long-term massive overfeeding in men. *Am. J. Clin. Nutr*. 60 (6): 861-3.

13. Pelleymounter, MA, Cullen, MJ, Baker, MB, Hecht, R, Winters, D, Boone, T, Collins, F (1995) Effects of the obese gene product on body weight regulation in ob/ob mice. *Science* 269: 546-9.

14. Raben A, Astrup, A (2000) Leptin is influenced both by predisposition to obesity and diet composition. *Int. J. Obes.* 24: 450-9.

15. Rosenbaum, M, Hirsch, J, Murphy, E, Leibel, RL (2000) Effects of changes in body weight on carbohydrate metabolism, catecholamine excretion, and thyroid function. *Am. J. Clin. Nutr.* 71: 1421-32.

16. Taylor, RW, Gold, E, Manning, P, Goulding, A (1997) Gender differences in body fat content present well before puberty. *Int. J. Obes.* 21: 1082-4.

L'Instinct de conservation

1. Beridot-Therond, ME, Arts, I, Fantino, M, De La Gueronnière, V (1998) Short-term effects of the flavor of drinks on ingestive behavior in man. *Appetite* 31: 67-81.

2. Bouchard C, Tremblay A, Després JP, et al (1990) The response to long-term overfeeding in identical twins. *N. Engl. Med.* 322: 1477-1482.

3. Cabanac, M, Frankham, P. Nicotine accelerates satiation in humans. *Sous presse.*

4. Dirlewanger, M, di Vetta, V, Guenat, E, Battilana, P, Seematter, G, Schneiter, P, Jéquier, E, Tappy, L (2000) Effects of short-term carbohydrate or fat overfeeding on energy expenditure and plasma leptin concentrations in healthy female subjects. *Int. J. Obes.* 24: 1413-8.

5. Drewnowski, A (1997) Why do we like fat? *J. Am. Diet. Assoc.* 97 (suppl): S58-S62.

6. Drewnowski, A, Kurth, CL, Rahaim, J (1990) Human obesity and sensory preferences for sugar and fat: age at onset and history of weight cycling. In: Brownell, KD (1991) Personal responsibility and control over our bodies: when expectation exceeds reality. *Health Psychol.* 10 (5): 303-10.

7. Frankham, P, Cabanac, M. Nicotine lowers the body-weight set-point in male rats. *Sous presse.*

8. Gerardo-Gettens, T, Miller, GD, Horwitz, BA, McDonald, RB, Brownell, KD, Greenwood, MR, Rodin, J, Stern, JS (1991) Exercise decreases fat selection in female rats during weight cycling. *Am. J. Physiol.* 260 (3 pt 2): R-518-24.

9. Gosselin, C, Cabanac, M (1998) Hoarding behavior in obese and control rats: evidence indicating cost differences. *Appetite*, 31, 117-124.

10. Gosselin, C, Cabanac, M (1996) Ever Higher: constant rise in the body weight set-point of growing Zucker rats. *Physiol. Behav.* 60 (3): 817-21.

11. Heitmann, BL, Lissner, L, Sorensen, TIA, Bengtsson, C (1995) Dietary fat intake and weight gain in women genetically predisposed for obesity. *Am. J. Clin. Nutr.* 61: 1213-7.

12. Hervey, GR (1969) Regulation of energy balance. *Nature.* 223: 629-31.

13. Hewitt, JK, Stunkard, AJ, Carroll, D, Sims, J, Turner, JR (1991) A twin study approach towards understanding genetic contributions to body size and metabolic rate. *Acta. Genet. Med. Gemellol (Roma).* 40 (2): 133-46

14. Hodge, AM, Westermann, RA, de Courten, MP, Collier, GR, Zimmert, PZ, Albert, KGMM (1997) Is leptin sensitivity the link between smoking cessation and weight gain? *Int. J. Obes.* 21: 50-3.

15. Keesey RE (1980) A set-point analysis for the regulation of body weight. *In: Stunkard AJ, ed. Obesity.* Philadelphia: WB Saunders, 144-165.

16. Keesey RE, Powley TL (1986) The regulation of body weight. *Annu. Rev. Psychol.* 37: 109-133.

17. Klesges, RC, Winders, SE, Meyers, AW, Eck, LH, Ward, KD, Hulquist, CM, Ray, JW, Shadish, WR (1997) How much weight gain occurs following smoking cessation? A comparison of weight gain using both continuous and point prevalence abstinence. *J. Consult. Clin. Psychol.* 65: 286-91.

18. Lawton, CL, Burley, VJ, Wales, JK, Blundell, JE (1993) Dietary fat and appetite control in obese subjects: weak effects on satiation and satiety. *Int. J. Obes.* 17: 409-16.

19. Leibel RL (1990) Is obesity due to a heritable difference in «set-point» for adiposity? *West. J. Med.* 153: 429-431.

20. Murgatroyd, PR, Goldberg, GR, Leahy, FE, Glisenan, MB, Prentice, AM (1999) Effects of inactivity and diet composition on human energy balance. *Int. J. Obes. Relat. Metab. Disord.* 23 (12): 1269-75.

21. Reed, DR, Contreras, RJ, Maggio, C, Greenwood, MRC, Rodin, J (1988) Weight cycling in female rats increases dietary fat selection and adiposity. *Physiol. Behav.* 42: 389-95.

22. Roberts SB (1995) Abnormalities of energy expenditure and the development of obesity. *Obes. Res.* 3 (supp 2): 155s-163s.

23. Seidell, JC, Visscher, TL (2000) Body weight and weight change and their health implications for the elderly. *Eur. J. Clin. Nutr.* 54 (suppl. 3): S33-9.

24. Sherwood, NE, Jeffery, RW, French, SA, Hannan, PJ, Murray, DM (2000) Predictors of weight gain in the Pound of Prevention study. *Int. J. Obes. Relat. Metab. Disord.* 24 (4): 395-403.

25. Shimokata, H, Muller, DC, Andrews, R (1989) Studies in the distribution of body fat: III. Effects of cigarette smoking. *JAMA,* 261: 1169-73.

26. Sorensen, TIA, Holst, C, Stunkard, AJ (1998) Adoption study of environmental modifications of the genetic influences on obesity. *Int. J. Obes.* 22: 73-81.

27. Stordy, BJ, Marks, V, Kalucy, RS, Crisp, AH (1977) Weight gain, thermic effect of glucose and resting metabolic rate during recovery from anorexia nervosa. *Am. J. Clin. Nutr.* 30: 138-46.

28. Stunkard AJ (1991) Genetic contributions to human obesity. *In: McHugh PR, McKusick VA, eds. Genes, Brain and Behavior.* New York: Raven Press, 205-218.

29. Tremblay, A, Plourde, G, Després, JP, Bouchard, C. (1989) Impact of dietary fat content and fat oxydation on energy intake in humans. *Am. J. Clin. Nutr.* 49: 799-805.

30. Tremblay, A, Wenker, M, St-Pierr, S, Bouchard, C, Després, JP (1995) *Am. J. Clin. Nutr.* 62: 639-44.

31. Tuschl, RJ, Platte, P, Laessle, RG, Stichler, W, Pirke, KM (1990) Energy expenditure and everyday eating behavior in healthy young women. *Am. J. Clin. Nutr.* 52: 81-6.

Premier principe: Endossez le changement

1. Covey, SR (1989) *Les 7 habitudes de ceux qui réussissent tout ce qu'ils entreprennent.* F1RST Business, pp320.

2. Ogden, J (2000) The correlates of long-term weight loss: a group comparison study of obesity. *Int. J. Obes.* 24: 1018-25.

3. Stunkard, JA, Craighead, LW, O'Brien, R (1980) Controlled trial of behaviour therapy, pharmacotherapy, and their combination in the treatment of obesity. *Lancet* 2: 1045-7.

4. Williams, GC, Saizow, RB, Ryan, RM (1999) The importance of self-determination theory for medical education. *Acad. Med.* 74 (9): 992-5.

Principe 2: Déterminez un objectif réalisable

1. Cash, T. (1994) Body image and weight changes in a multisite comprehensive very-low-calorie-diet program. *Behav. Therap.* 25: 239-54.

2. Després, JP, Lamarche, B., Bouchard, C., Tremblay, A., Prud'homme, D (1995) Exercise and the prevention of dyslipidemia and coronary heart disease. *Int. J. Obes. Relat. Metab. Disord.* 10 (19 supp 4): S45-S51.

3. Foster, GD, Wadden, TA, Vogt, RA, Brewer, G (1997) What is a reasonable weight loss? Patients' expectations and evaluations of obesity treatment outcomes. *J. Consult. Clin. Psychol.* Feb 65 (1): 79-85.

4. Goldstein, DJ (1992) Beneficial health effects of modest weight loss. *Int. J. Obes.* 16: 397-415.

5. Hervey, GR (1969) Regulation of energy balance. *Nature.* 223: 629-31.

6. Kanders, BS, Blackburn, GS (1992) Reducing primary risk factors by therapeutic weight loss. In: *Treatment of the seriously obese patient*, TA Wadden, TB VanItallie (eds). Guilford Press: New York, pp 213-230.

7. Ogden, J (2000) The correlates of long-term weight loss: a group comparison study of obesity. *Int. J. Obes.* 24: 1018-25.

8. Ogden, , J, Evans, C (1996) The problem with weighing: effects on mood, self-esteem and body image. *Int. J. Obes.* 20: 272-7.

9. Pi-Sunyer., FX (1993b). Short-term medical benefits and adverse effects of weight loss. *Ann. Intern. Med.* 119 (7 pt) 722-726.

10. Sbrocco, T, Nedegaard, RC, Stone, JM, Lewis, EL (1999) Behavioral choice treatment promotes continuing weight loss: Preliminary results of a cognitive-behavioral decision-based treatment for obesity. *J. Consult. Clin. Psychol.* 67: 260-6.

11. Tremblay, A. Doucet, E. (2000) Obesity: a disease or a biological adaptation? *Obes. Rev.* 1: 27-35.

12. Vague, J (1956) The degree of masculine differenciation of obesities: a factor determining predisposition to diabetes, atherosclerosis, gout and uric calculous diseases. *Am. J. Clin. Nutr.* 45: 7-13.

Troisième principe: Abaissez votre consigne

1. Bobbioni-Harsch, E, Habicht, F, Lehmann, T, James, RW, Rohner-Jeanrenaud, F, Golay, A (1997) Energy expenditures and substrates oxidative patterns, after glucose, fat or mixed load in normal weight subjects. *Eur. J. Clin. Nutr.* 20: 3704.

2. Golay, A, Allaz, A-F, Ybarra, J, Bianchi, P, Saraiva, S, Mensi, N, Gomis, R, de Tonnac, N (2000) Similar weight loss with low-energy food combining or balanced diet. *Int. J. Obes.* 24: 492-6.

3. Klem, ML, Wing, RR, McGuire, MT, Seagle, HM, Hill, JO (1998) Psychological symptoms in individuals successful at long-term maintenance of weight loss. *Health Psychol.* 17 (4): 336-45.

4. Schick, SM, Wing, RR, Klem, ML, Mc Guire, MT, Hill, JO, Seagle, HM (1998) Persons successful at long-term weight loss maintenance continue to consume a low-energy, low-fat diet. *J. Am. Diet. Asso.* 98: 408-13.

Stratégie 1, Consommez une alimentation saine et équilibrée

1. Agus, MSD, Swain, JF, Larson, CL, Eckert, EA, Ludwig, DS (2000) Dietary composition and physiological adaptations to energy restriction. *Am. J. Clin. Nutr.* 71: 901-7.

2. Applegate, L. The best and worse of common food pairings. Can be found on Runner's World's Website (www.runnersworld.com).

3. Baker, RC, Kirschenbaum, DS (1998) Weight control during the Holidays: highly consistent self-monitoring as a potential useful coping mechanism. *Health Psychol.* 17 (4): 367-70.

4. Baker, RC, Kirschenbaum, DS (1993) Self-monitoring may be necessary for successful weight control. *Behav. Therap.* 24: 377-94.

5. DiMeglio, DP, Mattes, RD (2000) Liquid versus solid carbohydrates: effects on food intake and body weight. *Int. J. Obes.* 24 (6): 794-800.

6. Dionne, I, Johnson, M, White, MD, St-Pierre, S, Tremblay, A (1997) Acute effect of exercise and low-fat diet on energy balance in heavy men. *Int. J. Obes.Relat. Metab. Disord.* May 21 (5): 413-6.

7. Flatt, JP (1987) Dietary fat, carbohydrate balance, and weight maintenance: effects of exercise. *Am. J. Clin. Nutr.* 45: 296-307.

8. Gray-Donald, K, Jacobs-Starkley, L, Johnson-Down, L (2000) Food habits of Canadians: reduction in fat intake over a generation. *Can. J. Public Health.* 91 (5): 381-5.

9. Gosselin, C, Côté, G (2001) Weight maintenance in women 2 to 11 after participating in a commercial weight loss based on Canada's Food Guide: A survey. *BMC Women's Health*, 1: 2.

10. Hamilton, EMN, Whitney, EN, Sienkewicz Sizer, F (1991) *Nutrition, concepts and controversies.* West Publishing Company, St.Paul, pp.554.

11. Haynes, RB, Kris-Etherton, P, McCarron, DA, Oparil, S, Chait, S, Resnick, LM, Morris, CD, Clark, S, Hatton, DC, Metz, JA, McMahon, M, Snyder, GW, Pye-Sunier, FX, Stern, JS (1999) Nutrionally complete prepared meal to plan reduce cardiovascular risk factors: a randomized clinical trial. *J. Am. Diet Assoc.* 99 (9): 1077-83.

12. Harvey-Berino, J, Ewing, JF, Flynn, B, Royer Wick, J (1998) Statewide dissemination of a nutrition program: show the way to 5-a-Day. *J. Nutr. Educ.* 30:29-36.

13. Heaney, RP et al. (1989) Calcium absorption in women: relationships to calcium intake, estrogen status and age. *J. Bone Miner. Res.* 4: 469-75.

14. Jorde, Rolf, Bonaa, KH (2000) Calcium from dairy products, vitamin D intake, and blood pressure: the Tromso study. *Am. J. Clin. Nutr.* 71 (6): 1530-5.

15. Kirby, Jane (2000) *Maigrir pour les nuls.* IDG Books Worldwide, San Mateo, Ca., pp.374.

16. Kirschenbaum, DS (1987) Self-regulatory failure: a review with clinical implications. *Clin. Psychol. Rev.* 7: 77-104.

17. Liu, S et al. (1999) A prospective study of dietary glycemic load, carbohydrate intake, and risk of coronary heart disease in US women. *Am. J. Clin. Nutr.* 71: 1455-61.

18. Pribila, BA et al. (2000) Improved lactose digestion and intolerance among African-American adolescent fed a dairy-rich diet. *Am. J. Diet. Assoc.* 100: 524-8.

19. Shiffman, ML, Sugerman, HJ, Kellum, JM, Brewer, WH, Moore, EW (1991) Gallstone formation after rapid weight loss: a prospective study in patients undergoing gastric bypass surgery for treatment of morbid obesity. *Am. J. Gastroenterol.* 86 (8): 1000-5.

20. Steinmetz, K (1994) Vegetable, fruit and colon cancer in Iowa women's health study. *Am. J. Epidemiol* 139: 1-15.

21. St-Onge, M-P, Farnworth, ER, Jones, PJH (2000) Consumption of fermented and nonfermented dairy products: effects on cholesterol concentrations and metabolism. *Am. J. Clin. Nutr.* 71 (3): 674-81.

22. Subar AS, Heimendinger, J, Krebs-Smith, SM, Patterson, BH, Kassler, R, Pivenka, E (1992) *5 a Day for better health: a baseline study of America's fruit and vegetable consumption*. Rockville, MD: National Cancer Institute.

23. Teegarden, D, Lin, Y-C, Weaven, CM, et al. (1999) Calcium intake elates to changes in body weight in young women. *FASEB J.* 13: A873 (abst.n. 660.4)

24. Tremblay, A, Buemann, B (1995) Exercise-training, macronutrient balance and body weight control. *Int. J. Obes.* 19: 79-86.

25. Van Gemert, WG, Westerterp, KR, van Acker, BAC, Wagenmakers, AJM, Halliday, D, Greve, JM, Soeters, PB (2000) Energy, substrate and protein metabolism in morbid obesity before, during and after massive weight loss. *Int. J. Obes.* 24: 711-8.

26. William, CL (1995) Importance of dietary fiber in childhood. *J. Am. Diet. Asso.* Oct 95 (10): 1140-6.

27. Wolf, R et al. (2000) Factors associated with calcium absorption efficiency in pre- and perimenopausal women. *Am. J. Clin. Nutr.* 72: 466-71.

28. Zemel, MB, Shi, H, DiRienzo, D, Zemel, PC. (2000) Regulation of adiposity by dietary calcium. *FASEB J.* Jun 14 (9): 1132-8.

29. Zemel, PC, Greer, B, DiRienzo, D et al. (1999) *Increasing dietary calcium and dairy products consumption reduces the relative risk of obesity in humans*. Presented at the North American Association for the Study of Obesity, Charleston, CA, Nov. 1999.

Stratégie 2, Bougez!

1. Andersen, RE, Wadden, TA, Bartlett, SJ, Zemel, B, Verde, TJ, Franckowiak, SC (1999) Effects of lifestyle activity vs structured aerobic exercice in obeses women: a randomized trial. *JAMA*, 281: 335-40.

2. Blundell, JE (1999) Physical activity and regulation of food intake: current evidence. *Med. Sci. Sports Exerc.* 31 (11 supp): S573-83.

3. Cabanac, M, Morissette, J (1992) Acute, but not chronic exercise lowers the body weight set-point in male rats. *Physiol. Behav.* 52 (6): 1173-7.

4. Cullinen, K, Caldwell, M (1998) Weight training increases fat-free mass and strength in untrained young women. *J. Am. Diet. Assoc.* 98: 414-8.

5. Donnelly, JE, Jacobsen, DJ, Snyder Heelan, K, Seip, R, Smith, S (2000) The effects of 18 months of intermittent vs continuous exercise on aerobic capacity, body weight and composition, and metabolic fitness in previous sedentary, moderately obese females. *Int. J. Obes.* 24: 566-72.

6. Dunn, AL, Marcus, BH, Kampert, JB, Garcia, ME, Kohl, HW, Blair, SN (1999) Comparison of lifestyle and structured interventions to increase physical activity and cardiorespiratory fitness: a randomized trial. *JAMA,* 281: 327-34.

7. Ewbank, PP., Darga, LL., Lucas, CP. (1995) Physical activity as a predictor of weight maintenance in previously obese subjects. *Obes. Res.* 3 (3): 257-63.

8. Grilo, CM. (1994) Physical activity and obesity. *Biomed Pharmacother.* 48: 127-136.

9. Gwinup, G. (1987) Weight loss without dietary restriction: efficacy of different forms of aerobic exercise. Am. J. Sports Med. 15 (3): 275-9.

10. Gwinup, G. (1975) Effect of exercise alone on the weight of obese women. *Arch. Intern. Med.* 135 (5): 676-80.

11. Hunter, GR *et al.* (1998) A role for high intensity exercise on energy balance and weight control. *Int. J. Obes.* 22 (6): 489-93.

12. Marcus, BH, Forsyth, LH, Stone, EJ, Dubbert, PM, McKenzie, TL, Dunn, AL, Blai, SN (2000) Physical activity behavior change: issues in adoption and maintenance. *Health Psychol.* 19 (1 suppl): 32-41.

13. Mattsson, E, Evers Larsson, U, Rössner, S (1997) Is walking for exercise too exhausting for obese women? *Int. J. Obes.* 21: 380-6.

14. Mertens, DJ, Kavanagh, T, Campbell, RB, Shepard, RJ (1998) Exercise without dietary restriction as a means to long-term fat loss in the obese patient. *J. Sports Med. Phys. Fitness* 38 (4): 310-6.

15. Miller, WC, Koceja, DM, Hamilton, EJ (1997) A meta-analysis of the past 25 years of weight loss research using diet, exercise or diet plus exercise intervention. *Int. J. Obes.* 21: 941-7.

16. Pritchard, J, Després, JP, Gagnon, J, Tchernof, A, Nadeau A, Tremblay, A, Bouchard, C (1999) Plasma adrenal, gonadal, and conjugated, steroids following long-term exercise-induced negative energy balance in identical twins. *Metabolism* 48 (9): 1120-7.

17. Rippe, JM., Hess, S. (1998) The role of physical activity in the prevention and management of obesity. *J. Am. Diet Assoc.* 98 (10 supp. 2): S31-8.

18. Rosenthal, B., Allen, GJ, Winter, C. (1980) Husband involvement in the behavioral treatment of overweight women: initial effects and long-term follow up. *Int. J. Obes.* 4 (2): 165-73.

19. Timperio, A, Cameron-Smith, D, Burns, C, Salmon, J, Crawford, D (2000) Physical activity beliefs and behaviours among adults attempting weight control. *Int. J. Obes.* 24: 81-7.

20. Tremblay, A (1999) Physical activity and obesity. *Baillieres Best Pract. Res. Clin. Endocrinol. Metab.* 13 (1): 121-9.

21. Tremblay, A, Doucet, E (1999) Influence of intense physical activity on energy balance and body fatness. *Proc. Nutr. Soc.* 58 (1): 99-105.

22. Wing, RR (1999) Physical activity in the treatment of the adulthood overweight and obesity«; current evidence and research issues. *Med. Sci. Sports Exerc.* 31 (11 Suppl): S547-52.

23. Wood, PD et al. Comparison of nutrient intake in sedentary and active middle-aged men and women. *Med. Sci. Sports & Exerc.* Dans: Bennett, W, Gurin, *The dieter's dilemma.* New York, Basic Books.

Principe 4: Apprenez à reconnaître vos signaux internes et à les respecter

1. _____ (2000) No single answer to treating binge eating disorder. *Drug & Ther Perspect.* 15 (5): 7-10.

2. B. Bill. Manger ses émotions; douze étapes vers le rétablissement. *Modus Vivendi*, 319 p., 1993. Traduit de l'original: Compulsive Overeater, CompCare Publishers, 1981.

3. Birch, LL Fisher, JO (1997) Food intake regulation in children. Fat and sugar substitutes and intake. *Ann. NY Acad. Sci.* 23 (819): 194-220.

4. Birch, LL, Johnson, SL, Andersen, G, Peters, JC, Schulte, MC (1991) The variability of young children's energy intake. *New Engl. J. Med.* 324: 232-5.

5. Brewerton, TD (1999) Binge eating disorder. Diagnosis and treatment options. *CNS Drugs* May 11 (5): 351-61.

6. Bruce, B, Agras, W (1992) Binge eating in females: a population-based investigation. *Int. J. Eat. Dis.* 12: 365-73.

7. Cameron, LD, Nicholls, G (1998) Expression of stressful experiences through writing: effects of a self-regulation manipulation for pessimists and optimists. *Health Psychol.* 17 (1): 84-92.

8. De Castro, JM (1999) Heritability of hunger relationships with food intake in free-living humans. *Physiol. Behav.* 76 (2): 249-58.

9. Grilo, CM, Masheb, RM (2000) Onset of dieting *vs* binge eating in out patients with binge eating disorder. *Int. J. Obes.* 24: 404-9.

10. Hsu, LKG, Holben, B, West, S (1992) Nutritional counseling in bulimia nervosa. *Int. J. Eat. Dis.* 11 (1): 550-62.

11. Kirby, Jane (2000) *Maigrir pour les nuls.* IDG Books Worldwide, San Mateo, Ca., pp.374.

12. Ortega, RM, Requejo, AM, Lopez-Sobaler, AM, Quintas, ME, Andres, P, Redondo, MR, Navia, B, Lopez-Bonilla, MD, Rivas, T (1998) Difference in the breakfast habits of overweight/obese and normal weight schoolchildren. *Int. J. Vtam. Nutr. Res.* 68 (2): 125-32.

13. Schlundt, DG, Hill, JO, Sbrocco, T, Pope-Cordle, J, Sharp, T (1992) The role of breakfast in the treatment of obesity: a randomized clinical trial. *Am. J. Clin. Nutr.* 55 (3): 645-51.

14. Tribole, Evelyn & Resch, Elyse. *Intuitive eating.* St. Martin's Press, 1995.

Principe 5: Honorez votre engagement

1. Diamond, P, Brondel, L, Leblanc, J (1985) Palatability and postprandial thermogenesis in dogs. *Am. J. Physiol.* 248: E75-E79.

2. Emurian, HH, Emurian, CS, Brady, JV (1985) Positive and negative reinforcement effects on behavior in a three-person microsociety. *J. Exp. Anal. Behav.* 44, 154-174.

3. Kumanyika, SK, Bowen, D, Rolls, BJ, Van Horn, L, Perri, MG, Czjkowski, SM, Schron, E (2000) Maintenance of dietary behavior change. *Health Psychol.* 19 (1 suppl): 42-56.

4. Leblanc, J, Cabanac, M, Samson, P (1984) Reduced postprandial heat production with gavage as compared with meal feeding in human subjects. *Am. J. Physiol.* 246: E95-E101.

5. Leblanc, J, Labrie, A (1997) A possible role for palatability of the food in diet-induced thermogenesis. *Int. J. Obes.* 21: 1100-3.

6. O'Neil, PM, Smith, CF, Foster, GD, Anderson, DA (2000) The perceived relative worth of reaching and maintaining goal weight. *Int. J. Obes.* 24: 1069-76.

7. Rolls, BJ, Fedoroff, IC, Guthrie, JF (1991) Gender differences in eating behavior and body weight regulation. *Health Psychol.* 10 (2): 133-42.

8. Rothman, AJ (2000) Toward a theory-based analysis of behavioral maintenance. *Health Psychol.* 19 (1 suppl): 64-9.

9. Westerterp-Plantenga, MS, Kempen, KPG, Saris, WHM (1998) Determinants of weight maintenance in women after diet-induced weight reduction. *Int. J. Obes.* 22: 1-6.

Pour plus d'informations au sujet de Caroline Gosselin et de ses recherches, visitez le site web:

www.carolinegosselin.com

Achevé d'imprimer sur les presses numériques des
Productions G.G.C. ltée — Sherbrooke
en janvier 2002